A*t*V

BARBARA FRISCHMUTH wurde 1941 in Altaussee (Steiermark) geboren. Sie studierte Türkisch und Ungarisch und von 1964 bis 1967 Orientalistik in Wien. Lebt als freie Schriftstellerin und Übersetzerin in Altaussee.

Wichtigste Werke: Die Klosterschule (1968); Das Verschwinden des Schattens in der Sonne (Roman, 1973); die Trilogie: Die Mystifikationen der Sophie Silber (1976), Amy oder Die Metamorphose (1978) und Kai und die Liebe zu den Modellen (1979); die Trilogie: Herrin der Tiere (1986), Über die Verhältnisse (1987) und Einander Kind (1990); Hexenherz (Erzählungen, 1994); Die Schrift des Freundes (Roman, 1998); Fingerkraut und Feenhandschuh. Ein literarisches Gartentagebuch (1999) und Das Heimliche und das Unheimliche. Drei Reden (1999). Zahlreiche Kinderbücher (zuletzt »Alice im Wunderland« nach Lewis Carroll), Hör- und Fernsehspiele.

Das Ferienhaus, das Nora für sich und ihren Sohn Pu gemietet hat, ist geräumig, und so läßt sie sich leicht überreden, auch ihre Nichte und Fenek, den Sohn ihres ersten Mannes, mit einziehen zu lassen. Jeder aus dieser zusammengewürfelten Ferienfamilie hat schon Erfahrungen mit Zerwürfnissen oder Scheidungen gemacht und genießt daher das harmonische Miteinander dieser Sommerwochen um so mehr. Aber dann taucht Noras alter Schulfreund Lajosch auf. Zögerlich versucht er, den Platz an Noras Seite einzunehmen. Sofort mißtrauisch, unterziehen ihn die Kinder harten Prüfungen und Abschreckungsmanövern. Zwar erweist er sich im großen und ganzen als akzeptabel, doch bleibt vor allem bei Fenek ein Rest Mißtrauen gegenüber dem unproblematisch scheinenden neuen Familienmitglied. »Am Anfang ist das immer so«, meint er pessimistisch.

Barbara Frischmuth

Die Ferienfamilie

Roman

Aufbau Taschenbuch Verlag

ISBN 3-7466-1723-5

1. Auflage 2001
Aufbau Taschenbuch Verlag GmbH, Berlin 2001
© 1981 Residenz Verlag, Salzburg und Wien
Einbandgestaltung Torsten Lemme unter Verwendung
eines Fotos von Elie Bermayer, Tony Stone
Druck Elsnerdruck GmbH, Berlin
Printed in Germany

www.aufbau-taschenbuch.de

Nora hatte ein Haus auf dem Lande gemietet, um dort mit Pu, ihrem Sohn, der eher ein kleiner Grizzly als ein Teddybär war, den Sommer zu verbringen. Dieses Haus hatte, wie rasch genug durchsickerte, mehr Schlafstellen, als Pu und Nora benutzen konnten, auch wenn sie sich jeder in ein anderes Zimmer legten. So winzig das Holzhaus auch von außen ausschaute, es befanden sich in seinem Inneren eine Wohnküche, ein Nora-Zimmer und zwei Mansarden mit insgesamt fünf Betten. Und nachdem auch noch diese Einzelheiten die Runde gemacht hatten, war es nur mehr eine Frage von Tagen, daß Vater eins, nämlich der Vater von Pu, aber auch der von Fenek, an Nora heran*trat*, ihr freundlich den Arm um die Schultern legte und anfragte, ob Sohn eins, nämlich Fenek, ebenfalls die Ferien bei Frau zwei, nämlich Nora, verbringen dürfe, da er, Vater eins, mit Frau drei, nämlich Sylvie, nach Amerika wolle. Auf Studienreise, natürlich nicht zum Vergnügen, das könne er sich gar nicht leisten. Er wolle sich wieder einmal beruflich verändern – als sie das hörte, seufzte Frau zwei, nämlich Nora, tief –, und davor müsse er sich ein bißchen in der Neuen Welt umsehen. Und Feneks Mutter, Frau eins, sei ja nun schon seit mehr als einem Jahr nicht mehr greifbar, da sie Mann drei, einem zukünftigen Farmer, nach Australien gefolgt war. Wo sie übrigens noch immer damit beschäftigt waren, das Geld für die Farm an einem Würstlstand zu erwirtschaften. Es würde also noch einige Zeit dauern, bis Fenek dort die entsprechenden Verhältnisse vorfand, und der Flug kostete ja auch nicht gerade eine Kleinigkeit.

Übrigens war es Fenek gewesen, der nach einer ihn sehr beeindruckenden Folge der Fernsehserie »Charlie Chan« diese Art der Numerierung eingeführt hatte, um die Familienverhältnisse übersichtlicher zu machen. Oder wurde so alles nur noch verwirrender? Kaum stand fest, daß Fenek die Ferien bei Pu und Nora verbringen würde, schneite eines Abends Noras Schwester, Tante zwei – da Fenek alles von seiner Position aus berechnete, kam er manchmal mit Pus Verwandtschaft in Schwierigkeiten –, in völlig aufgelöstem Zustand herein. Es war wirklich ein grauenhafter Frühsommer mit Schneeregen bis in den Juni. Sie behauptete, ihre Berufsaussichten sänken auf Null, wenn sie nicht Gelegenheit habe, einen dieser Universitätssommerkurse zu besuchen, um ihr Französisch aufzupolieren – vor lauter Nervosität wetzte sie mit dem Finger die Tischkante blank –, sie brauche unbedingt ein Zeugnis, um im Herbst ihren Beruf als Fremdsprachensekretärin wieder aufnehmen zu können. Dazu sei sie seit der Scheidung von Onkel zwei – der von ihr aus gesehen Mann eins und Vater eins ihrer Tochter war – gezwungen. Und das arme Kind könne doch nicht den ganzen Sommer über, und zum Teil unbeaufsichtigt, in der Stadt bleiben.

»Also gut«, sagte Nora, und das hieß soviel wie daß auch Aglaja, das Sumpfhuhn, kurz Laja, Cousine eins von Pu aus gesehen, mit Fenek jedoch nicht verwandt, die Ferien mit Pu, Nora und Fenek verbringen würde.

Nach Schulschluß brachen sie daher auf, Nora, Noras Schwester und Vater eins, und alle schleppten sie ein Kind und einen Haufen Gepäck an, Bergschuhe, Schwimmhosen, Mikroskope, ferngesteuerte Autos, dicke Pullover, Sandalen, Bücher, Kekse und Lieblingsstofftiere, denn der Sommer war lang und das Wetter in den Alpen spielte schon seit der letzten Eiszeit verrückt.

Das kleine Holzhaus erzitterte, als sie es in Besitz nahmen, vor allem der obere Teil, in dem die Kinder schlafen sollten. Natürlich hatte kein Mensch sich Gedanken darüber gemacht, wer mit wem sich welche Mansarde teilen sollte, und kaum war der erste Koffer mühsam über die Hühnerleiter hinaufgezerrt worden, setzte das Gerangel um die Betten ein. Fenek behauptete, er sei schon zu alt, um noch mit irgend jemandem – außer seinen Kollegen im Internat – ein Zimmer zu teilen.

»Ich bin schließlich zwölf«, brüllte er, laut genug, daß in der Küche unten die Kaffeetassen klirrten.

»Und ich bin ein Mädchen«, kreischte Laja, »glaubst du, ich schlafe mit einem Buben?«

»Pu ist noch ein Baby«, meinte Fenek, »das gilt nicht.« Pu hatte das entweder nicht gehört, oder es war ihm egal. Er wollte ohnehin lieber unten bei seiner Mutter schlafen, wie auch sonst in den Ferien. Er war gerade dabei, seine Steinesammlung und seine Angel wieder herunterzutransportieren, als Nora behauptete, sie wolle diesen Sommer endgültig alleine schlafen. Er sei aus dem Alter heraus, und überhaupt, wie sie ihn kenne, würde er jeden zweiten Tag übersiedeln, rauf – runter, runter – rauf, da solle er lieber von Anfang an oben bleiben.

»Wieso?« schrie Pu, obwohl er wußte, daß es ohnehin keinen Sinn hatte, weiter auf alten Rechten zu bestehen. Wie hatte Fenek gesagt? »Zuerst schicken sie dich aus dem Schlafzimmer, dann aus dem Haus.«

»Möchtest du mir dann wenigstens sagen, wo ich bleiben soll?«

Nora nahm die Angel und stieg hinter Pu die Leiter hinauf. »Ihr könnt euch also nicht einigen?« Sie nahm eine Münze, warf sie in die Luft und schloß beim Auffangen die Hand darum. »Kopf oder Zahl?« Es war allen klar, daß Fenek richtig raten würde. Pu zog also zu Laja, die acht war und wirklich Beine wie ein Sumpfhuhn hatte. »Ihr braucht ja nur zum Schlafen heraufzukommen.« Und Nora zeigte ihnen, in welchen Kasten wer sein Zeug räumen sollte.

Unten saßen die Erwachsenen und tranken einen Schluck, wie sie es nannten. Sie waren ja alle recht gut miteinander – »immerhin etwas«, wie Fenek sagte – bis auf Sumpfhuhns Eltern, die *noch* kein Wort miteinander wechselten; Sylvie war wohl nur deshalb nicht mitgekommen, weil sonst für das Fahrrad kein Platz mehr gewesen wäre. Nora versuchte aus den mitgebrachten Vorräten ein Abendessen zu basteln, aber Vater eins sagte, das komme gar nicht in Frage, sie würden jetzt alle essen gehen. Die arme Nora habe nun ohnehin die Kinder am Hals, da müsse man sie doch zumindest am ersten Tag noch schonen.

»Wascht euch«, sagte Vater eins, bevor sie den Abhang zum Dorf hinuntertrabten, vergaß aber darauf zu achten, daß sie es auch wirklich taten. Pu hatte klebrige Hände und einen verschmierten Mund, was Vater eins erst in der Nähe des Dorfbrunnens auffiel, wo er ihn dann so gründlich wusch, daß Pu vor lauter Lachen, Gluckern und Prusten beinah erstickte. Vor dem Gasthaus behauptete Lajas Mutter plötzlich, sie könne nun doch nicht mehr mitkommen, die Wolken, sie zeigte dramatisch auf ein paar finstere Ballungen, und sie fahre so ungern bei Regen. Laja verzog kaum eine Miene, obwohl ihre Mutter sie zum Abschied halb tot küßte und jeder sehen konnte, daß sie mit den Tränen kämpfte.

Vater eins war richtig aufgekratzt, und jeder konnte bestellen, was er wollte. Auch Nora wurde sehr gesprächig, nachdem sie zwei Achtel Wein getrunken hatte, und doch schwang in aller Stimmung ein wenig Galgenhumor, wenn Fenek nicht alles täuschte, und Fenek ließ sich so gut wie nie täuschen.

Pu hatte, wie immer in solchen Situationen, die Gelegenheit wahrgenommen, sich dicht an Vater eins zu lehnen, den Ellbogen auf dessen Knie gestützt, die Beine über den seinen. Fenek störte das, auch wenn er nie darüber sprach (wo kämen wir denn da hin, wenn wir uns alle so an Vater eins hängten?), dafür zwickte er Pu manchmal, wenn niemand hinsah. Aber Pu war nun einmal jemand, der alles spüren und anfassen mußte und der nicht einmal davor zurückschreckte, in Gegenwart anderer seine Mutter abzuschmusen, dabei war er schon sieben. Er, Fenek, war da ganz anders. Zum Glück.

Eigentlich waren sie alle recht müde, aber Vater eins und Nora rauchten immer noch eine immer wieder letzte Zigarette miteinander, und als sie endlich gingen, war Pu bereits eingeschlafen. Als sie ihn weckten und auf die Beine stellten, fing er ein fürchterliches Gezeter an, so daß ihn Vater eins auf die Schultern lud und ein Stück trug. Beim Brunnen stellte er ihn dann ab und drohte, ihn munterzuwaschen, wenn er sich jetzt nicht von selber bewege.

Vater eins und Nora gingen eingehängt, und Pu ließ sich von Laja ziehen. Fenek hatte das Gefühl, daß sie wie eine normale, friedliche Familie wirkten. »Hört her«, flüsterte er Pu und Laja zu, »wenn jemand im Ort euch fragt, so sind wir eine Familie, Vater, Mutter, Kinder. Habt ihr verstanden! Vater muß eine Reise machen, wir sind in den Ferien, wegen der guten Luft.«

»Wieso?« Pu schien zu erwachen. »Nora ist nur meine Mutter.«

»Meine Mutter, meine Mutter«, äffte Fenek, »wie wenn das nicht völlig egal wäre.«

»Ist es aber nicht«, brummte Pu.

»Es geht niemanden etwas an, versteht ihr. Niemanden. Ich weiß, wovon ich rede. Wenn ihr erst anfangt, irgend etwas zu erklären, kommt ihr in Schwierigkeiten.«

»Und wenn man uns nicht glaubt?« flüsterte Laja.

»Die fragen doch nicht, weil sie wirklich etwas wissen wollen, sondern einfach so, aus Langeweile. Man kann ihnen erzählen, was man will. Wir sehen aus wie eine Familie, also sind wir eine, und basta. Nur nicht anfangen, etwas zu erklären. Dann nimmt die Fragerei kein Ende, und wir haben nie unsere Ruhe.«

Zu Hause zog Vater eins noch eine riesige Schau als verehrungswürdiges Familienoberhaupt ab. Er gab Fenek einen großen Geldschein, natürlich so, daß Nora genau sah, wie groß er war, und ermahnte ihn, sparsam damit umzugehen. Auch Pu und Laja bekamen einen, wenn auch kleineren, obwohl die ohnehin versorgt waren. Und zu Nora sagte er etwas von den Alimenten, die er diesmal doppelt überwiesen habe, sie solle sich das alles ja nicht irgendwo absparen müssen.

»Waschen«, brüllte er dann, und diesmal achtete er darauf, daß es geschah. Fenek war als erster im Bett. »Wiedersehen und gute Nacht«, rief er noch einmal, bevor er das Licht löschte, und das hieß, daß er auf keinerlei Abschied mehr Wert legte. Pu hingegen hängte sich an den Hals von Vater eins und quälte ihn so lange, bis er mit ihm die Hühnerleiter hochkroch und ihn ins Bett brachte, während Nora Laja tröstete, der nun doch die Tränen gekommen waren.

Anderntags war der Himmel bedeckt, und es sah aus, als würde es demnächst regnen. »Wie schön«, sagte Fenek zu seinem winzigen Mansardenfenster hinaus, »da freut man sich aufs Schwimmen, und schon ist alles im Eimer.« Er erspähte einen Kübel, den jemand unter die Dachtraufe gestellt hatte, um das zu erwartende Regenwasser aufzufangen, zum Blumengießen, Haarewaschen oder wozu auch immer.

Fenek mußte durch die Mansarde der Kleinen, Pu schlief noch, und Laja war bereits aufs Klo gegangen. In der Küche fand er Nora mit Einheizen beschäftigt. Es war ein großer, altväterischer Kachelofen, der auch Vater eins beeindruckt hatte, mit eingebauter Kochplatte und Backrohr. Nur, er wollte nicht so recht. Sie werkte mit Papier, Spänen und Holzscheiten, aber noch hatte sie kein Feuer zusammengebracht. »Ich werde mich bei der Bäurin erkundigen«, sagte sie und erhob sich von den Knien, nachdem Fenek ihr schon eine ganze Welle zugeschaut hatte. »Frühstück machen kann ich ja auf dem Gas-Rechaud. Ach ja, Frühstück.« Nora schien eine blendende Idee zu haben. »Du könntest rasch ins Dorf hinunterradeln, frische Semmeln und eine Zeitung holen. Und beim Frühstück teilen wir dann ein, wer von nun an für was verantwortlich ist.«

Fenek ging, nicht gerade euphorisch, aber ohne eine seiner sonstigen widersetzlichen Bemerkungen. Er holte sein Fahrrad aus dem Schuppen und freute sich auf eine rasante Fahrt den Abhang hinunter, wobei er die Handbremse testen konnte. Er war ein tollkühner, aber sehr geschickter Radfahrer und probierte gerne die halsbrecherischsten Fahrweisen aus. Was sie gestern gesehen hatten, war gewiß nur ein Teil des Ortes, und da er annahm, daß ihn der Auftrag, Semmeln und die Zeitung zu holen, noch öfter ereilen werde, wollte er sich gleich ein sympathisches Geschäft aussuchen, in dem man zum Beispiel einen Blick in das neue Superman-Heft werfen konnte, ohne es gleich kaufen zu müssen.

Als er zurückkam, war etwas mehr als eine Stunde vergangen. Alle saßen um den großen Tisch herum und kauten an Brotstücken, die Nora noch im Gepäck gehabt hatte. »Hör zu«, fing Nora an, dann schien es ihr plötzlich nicht mehr der Mühe wert zu sein, und sie brach ab.

»Was ist denn, was ist denn …« Fenek nahm eigenhändig ein Brotkörbchen vom Regal und schichtete die Semmeln zu einer Pyramide, die er gekonnt auf den Tisch stellte, dann reichte er Nora mit der Andeutung einer Verbeugung die Zeitung. Aber als Nora noch immer ausdruckslos vor sich hinstarrte, kam die große Überraschung. Fenek zog ein Geschirrtuch von der Einkaufstasche (kein Mensch wußte, wie es dort hingeraten war), und zum Vorschein kamen ein Paket frischer Butter, ein paar Packungen Milch, Joghurt, Eier … und was man eben sonst so braucht, »abrakadabra, das macht genau …«, und Fenek legte Nora den Rechnungszettel auf die Serviette. Da lachten alle, und Pu griff sogleich – was zu erwarten war – nach einer frischen Semmel. »Man muß doch seine Erkundigungen einziehen«, sagte Fenek, bevor er nun selbst mit großem Appetit zu frühstücken begann.

Gerade als das Sumpfhuhn aufstehen und hinausgehen wollte, fing Nora an. »Wir werden acht Wochen hier sein, und ich hoffe, ihr nehmt nicht an, daß ich euch hinten und vorn bediene. Ich schlage vor, daß jeder von euch gewisse Handgriffe übernimmt, seinem Alter und seinen Fähigkeiten angemessen.«

Fenek seufzte. »Da Radfahren auf der Straße für Kinder unter zwölf verboten ist, wird Fenek für einen Teil der Einkäufe sorgen. Nicht jeden Tag, versteht sich, wir müssen nicht jeden Tag Semmeln haben. Laja, du gießt die Blumen an den Fenstern und gibst acht, daß man die Wiese noch sieht, wenn ihr euer

Zeug draußen habt. Und Pu putzt die Schuhe. Beim Geschirrwaschen helft ihr mir abwechselnd, sein Bett macht jeder selbst, und am Nachmittag brauche ich ein paar Stunden absolute Ruhe, da ich mir eine Menge Arbeit mitgenommen habe. Ich kann nicht, wie ihr, zwei Monate Ferien machen. Alles klar?«

Fenek hatte den Verdacht, daß Nora sich selber merkwürdig vorkam, wie sie das so alles herunterleierte. »O.K.«, seufzte er. Laja nickte, und Pu kicherte, was nicht unbedingt als Zustimmung zu verstehen war.

Nora erhob sich. »Konstruktive Vorschläge könnt ihr mir bei der nächsten Sitzung machen. Ich geh jetzt hinüber zur Bäurin und versuche herauszufinden, wie das Ding hier funktioniert«, und sie zeigte mit einem gewissen Mißtrauen auf den Ofen.

»Und wir?« fragte Pu vorwurfsvoll. »Was tun wir?«

»Was ihr wollt. Da es zum Schwimmen zu kalt ist, müßt ihr euch die Zeit anders vertreiben. Spielt. Geht in den Wald – aber so, daß ihr wieder zurückfindet. Zeichnet, malt, legt Puzzles, baut euch ein Rindenhäuschen, angelt im Bach. Mein Gott, die Welt ist voller Möglichkeiten, und ihr habt keine Schule.«

»Und du? Warum spielst du nicht mit uns?« So hatte sich Pu die Ferien offensichtlich nicht vorgestellt.

»Ich geh zur Bäurin rüber, wegen dem Ofen.«

»Ich komme mit«, sagte Pu. Nora verdrehte die Augen. »Also von mir aus.«

»Darf ich auch mitkommen?« Das Sumpfhuhn hatte das eine Bein hochgezogen und stand auf dem anderen.

»Dann gehen wir eben alle. Da kann ich euch wenigstens gleich vorstellen.« Das hatte sie zwar nicht vorgehabt, aber so klang es am glaubwürdigsten. Arme alte Nora, dachte Fenek, immer versucht sie erfolglos, Pu abzunabeln. Sie hat ihn ja auch immer um sich haben müssen, und Pu hin und Pu her, das hatte sie jetzt davon. Seine Mutter hatte das von Anfang an durchschaut, so wie sie alles durchschaute. Vater eins hatte sie durchschaut, und Nora und Sylvie und Vater zwei – aber an den dachte er äußerst ungern – und hoffentlich irgendwann einmal auch Vater drei, der da unbedingt nach Australien mußte, als ob es hier keine Hammel gäbe. Und sie durchschaute natürlich ihn, wenn auch nicht bis auf den innersten Grund, in dem es klopfte und pochte und zuckte und sich wand, wann immer er an sie dachte. Aber auch er, Fenek, durchschaute sie, und er wußte, daß gewisse Dinge einfach sein mußten und daß man platzte, wenn man sie nicht tat, und daß eben niemand niemandem ganz gehörte und daß man das auf dieser Welt gar nicht erwarten konnte und daß er selbst auch einmal gern frei sein würde, wie sie gesagt hatte, und wozu gab es schließlich Vater eins, dessen ganzes Leben nur aus Freiheit bestanden hatte und der sich ruhig einmal um etwas kümmern konnte, auch wenn er so gar nicht der Typ dafür war.

Pu nahm die Hand seiner Mutter, als sie losgingen, und Laja meinte: »Ob die auch Kinder hat?«

»Hab ich gar nicht gefragt«, gab Nora zu. »Gesehen habe ich jedenfalls keine, als ich damals hier war, um mir das Haus anzuschauen, und gestern auch nicht, als ich den Schlüssel holen ging.«

Als sie auf das Bauernhaus zukamen, hörten sie Geschrei, das einerseits wie Schimpfen, andererseits wie Klagen klang, und bald darauf startete hinter dem Haus ein Auto und fuhr mit Vollgas davon. »Der Luder-Bub, der dumme«, jammerte die Bäurin noch immer, als sie bereits in der Küche standen.

»Wie oft hab ich es ihm gesagt. Aber nein, holzhacken muß er, anstatt das gehackte Holz hereinzutragen, wie ich ihm's gesagt hab. Und jetzt hat er sich gehackt, der arme Bub, der dumme, und wer weiß, ob der Doktor viel machen kann, vielleicht muß er gar noch ins Spital. Gott sei Dank war der Vater da und hat ihn gleich hinfahren können, zum Doktor, und hoffentlich ist die Hacke doch nicht so tief reingangen, wie's zuerst ausgeschaut hat, soviel geblutet hat's halt, aber das ist immer so, wenn sich einer hackt, und mit ein bisserl einem Glück braucht der Doktor nur eine Naht machen, und der Bub kann mit dem Vater wieder heimkommen.«

Allmählich beruhigte sich die Bäurin, und nachdem sie ihnen Platz angeboten hatte, holte sie die Schnapsflasche mit dem Selbergebrannten und schenkte Nora und sich etwas davon ein, »auf die gute Nachbarschaft«, wie sie sagte. Sie selbst hatte einen viel moderneren Herd in ihrer Küche stehen, einen mit einem Allesbrenner als Zusatzgerät, und sie war sehr zufrieden damit. »Ja, ja«, sagte sie, schon wieder schmunzelnd, »einheizen, das muß man können. Heut nachmittag, da zeig ich's Ihnen. Vielleicht ist dann der Bub auch schon wieder da.«

Wie alt denn der Bub sei. So an die dreizehn und ein richtiges »Rabenbratl«, wie die Bäurin voller Stolz erklärte. Sie habe aber auch noch ein »Menscherl«, ein kleines, und damit meinte sie ihre sechsjährige Tochter Julie, die aber derweil bei den Großeltern sei und erst gegen Abend wieder nach Hause komme.

»Und Ihre?« Sie deutete auf Fenek, Laja und Pu. Nora sagte ihre Namen, und dann meinte die Bäurin, die Kinder würden schon zusammenfinden, und ihr stiegen schon jetzt die Grausbirnen auf, wenn sie daran denke, was die beiden großen

Buben sich alles ausdenken würden. Vor allem im Stall sollten sie aufpassen, beim Vieh, und keine Sensen, Hacken und Messer angreifen, und die Fensterscheiben seien auch nicht zum Einwerfen da, sondern zum Rausschauen. Und während sie so dasaßen, tat sie immer wieder irgendeinen Griff, den andere Leute wohl kochen genannt hätten. Die Bäurin aber hatte eine Art, das Mittagessen aus dem Ärmel zu schütteln – tatsächlich hatte sie den einen Kochlöffel im Gummizug ihres Dirndlblusenärmels eingeklemmt –, daß Nora nur so staunte. Selbst Fenek schaute den Vorgängen mit einigem Interesse zu, Pu aber drängte zum Gehen, er wolle unbedingt in den Stall, flüsterte er Nora ins Ohr, und sie solle fragen, ob es irgendwelche Tiere gebe, mit denen man auch spielen könne.

»Katzerln gibt es«, sagte die Bäurin dann, »aber die sind draußen, und ein Kaiberl.« Beim Hund aber sollten sie lieber aufpassen, an sich tue er Kindern nichts, aber man könne halt nie wissen.

Sie gingen allein durch den Stall, weil die Bäurin nicht gut aus der Küche wegkonnte. Es waren ohnehin nur zwei Kühe und das Kaiberl da, und als Pu das Kaiberl streicheln wollte, schaute ihn die Kuh sehr giftig an, wie er behauptete, und so gingen sie recht bald wieder.

Das Wetter war noch immer so unbestimmt und regnerisch, aber nicht kalt, und Nora wollte es noch einmal mit dem Ofen versuchen, gab aber bald auf und beschloß zu warten, bis die Bäurin kam. Sie wollte zu Mittag nur eine Suppe machen und erst am Abend richtig kochen, und für die Suppe genügte das Rechaud. Außerdem mußte sie erst richtig einkaufen, und wie zu erwarten, gingen die »Kleinen« mit, während Fenek sich mit einem Buch auf die Eckbank legte und für niemanden zu sprechen war.

Inzwischen hatte sich auch herausgestellt, was sie alles vergessen hatten. Laja hatte keine Zahnbürste und keinen Kamm. Pu hatte zwar die Stifte mit, aber keinen Block, Nora hatte ihre Pinzette vergessen, und Fenek hatte etwas von Papiertaschentüchern gesagt, die sicher irgendwer irgendwann einmal ganz dringend brauchen würde. Und Klopapier. Natürlich war kein Klopapier im Klo gewesen. Und die Speisekammer war auch leer, klarerweise.

Sie nahmen alles an Taschen mit, was sie finden konnten, und dazu ihre Regenhäute, falls die Wolken doch noch aus dem Leim gehen sollten. Pu griff gerade nach einem Blechtiegel in der Laube, in dem ein Holzspan steckte, nämlich im getrockneten Leim. Es war schon ziemlich spät am Vormittag, und sie mußten sich auf den Weg machen, wenn ihnen die Geschäfte nicht vorher zusperren sollten. Immer wieder bat Nora Pu oder Laja, das eine oder andere ja im Kopf zu behalten, damit sie es nicht vergäßen, sie selber müsse sich nämlich immer alles aufschreiben, aber dazu sei jetzt wirklich keine Zeit mehr.

Fenek war kein »berufsmäßiger« Leser – so plankte er sich gegen Nora ab, wenn sie ihn gelegentlich nach Bücherwünschen fragte –, er las, wenn er gerade nichts anderes zu tun hatte oder wenn ihn etwas besonders interessierte. Er nahm sich auch nirgendwohin Bücher mit, entweder er fand welche vor oder nicht. Diesmal hatte er sich Pus »Ilias und Odyssee« genommen, die auf dessen Bett herumgelegen war. Odysseus, das war schon jemand, der einem imponieren konnte. Der alte Schlaumeier hatte es ganz schön rundgehen lassen, aber er hatte auch immer wieder draufgezahlt, und daß er sich um Telemach nicht scherte, na, was hätte er denn tun sollen. Er hatte die Geschichte schon in den verschiedensten Versionen gelesen, genauso wie das »Dschungelbuch«, und er konnte sie immer wieder lesen. Er mochte es nicht leiden, wenn seine Klassenkameraden, vor allem die, die andauernd lasen, von Tausenden Büchern durch die Gegend schnatterten. Die hatten eben alles nur gelesen oder im Fernsehen gesehen, was er, Fenek, schon erlebt hatte. Er hatte seine Erfahrungen gemacht, das konnte man wohl sagen. Nicht ganz so wie Odysseus, aber immerhin. Er versuchte nachzurechnen, in wie vielen Familien oder bei wie vielen Leuten er schon gelebt hatte, es gelang ihm nicht. Seine Mutter war eine Art Nomadin. »Das hat man im Blut«, hatte sie gesagt und ihn oft genug mit sich geschleppt. Und wenn es einmal nicht ging, dann hatte sie ihn eben wo »untergebracht«. Er sei anspruchslos, esse alles – was nicht stimmte, klarerweise –, könne sich allein beschäftigen – er wußte das Fernsehprogramm auswendig –, und man könne ihn, wenn er es gar zu arg treibe, ruhig ein bißchen rauher anfassen – was kaum je nötig war, da er eine sehr erfolgreiche Methode hatte, sich einen möglichst großen Spielraum zu verschaffen.

Am liebsten zog er alleine los, erkundete die neue Umgebung und hatte bald die nötigen Gefährten beisammen. Dann begannen die Abenteuer. Daß er dabei nicht immer auf die Uhr schaute und oft genug später kam, als er sollte – nun, er machte sich keinen Vorwurf daraus. Entweder es war den Verdruß wert oder nicht. Wenn nicht, kam er ohnehin pünktlich. Wenn ja, wußte er wenigstens, wofür er eins auf den Deckel bekam. Wie die anderen darauf reagierten, war Temperamentssache. Am schlechtesten die, die selber oft zu spät kamen. Aber auch Nora hatte die ersten Male, die er bei ihr »untergebracht« war, beinahe durchgedreht, wenn er später kam, als er sagte. Natürlich war er damals kleiner gewesen – er meinte vor allem die Zeit, in der Nora mit Vater eins verheiratet gewesen war. Und Nora hatte von der Verantwortung geredet und daß nachgerade genug passierte, man solle es nicht auch noch herausfordern. Mit der Zeit hatte sie sich dann etwas daran gewöhnt und sogar ein bißchen zu glauben begonnen, daß er jemand sei, der sehr gut auf sich selber achten könne. Dazu hatte seine Mutter ihn erzogen, und das war gut so.

Nun hatte ihn also Vater eins den Sommer über wieder bei Nora »untergebracht«, und er war überzeugt, daß er es fertigbringen würde, über kurz oder lang auch einmal ihn und Pu bei Sylvie »unterzubringen«. Spätestens dann, wenn Sylvie auch ein Kind hatte. Wenn sie dann nur nicht auf die Idee kamen, ihn, Fenek, als Babysitter zu mißbrauchen. Nora kannte er wenigstens schon länger und sie ihn. Pu und Laja waren natürlich keine Gesellschaft für ihn. Er würde sich, sobald das Wetter umschlug, auf seine erste größere Erkundungsfahrt machen. Bei der Gelegenheit würde er sich auch den Sohn der Bäurin ansehen, wenn er wieder zu Hause war. Warum in die Ferne schweifen – er ließ seinen Blick weit über die Küche hinziehen –, wenn es vielleicht in der Nähe jemanden gab, der ganz annehmbar war.

Fenek hatte gerade die Geschichte mit den Sirenen gelesen, als es draußen heller geworden war. Er kniete sich auf, öffnete das Fenster und lehnte sich gemächlich hinaus. Die Wolkendecke hatte einen Riß bekommen, das mit dem Wetter würde schon werden, und wenn es erst richtig schön war, würden sie ins Schwimmbad gehen. Er würde sich schon etwas einfallen lassen, um diese acht Wochen möglichst angenehm zu verbringen. Und genaugenommen waren die drei ja ganz passabel, die jetzt schleppend und schwitzend den Abhang heraufkamen.

Nora hatte in jeder Hand eine Tasche, und Pu hatte sich einen Plastiksack über die Schulter gehängt, während Laja den ihren ständig von einer Hand in die andere nahm. Eigentlich rührend, wie die Kleinen sich abmühten, um alles hier hochzuschleppen. Nora war das ja gewöhnt, die schleppte immer irgend etwas. Fenek empfand eine merkwürdige Art der Zufriedenheit, mit sich, mit dem Haus und mit seinen Bewohnern, denen er versonnen entgegenstarrte. Pu winkte sogar, und eigentlich wollte er zurückwinken, wenn er sich dazu nur hätte aufraffen können. Nora stellte für einen Moment die Taschen nieder und massierte sich die Finger. Mein Gott, dachte Fenek, die hat ja eingekauft wie vor einem Katastrophenalarm. Plötzlich schien Nora ihn zu fixieren. Sie waren nun schon in absoluter Hörweite. »Na«, sagte Fenek, »ihr habt wohl den ganzen Ort aufgekauft.« Niemand erwiderte etwas auf seinen gutgemeinten Spruch. Na, dann eben nicht, dachte Fenek und schaute Nora verwundert an, wie sie ihn weiterhin so fixierte.

Gerade als er seinen Kopf zurückzog, hörte er sie seinen Namen rufen. »Ja?« Er lächelte verbindlich.

»Sag mal, würdest du so freundlich sein und uns wenigstens die letzten paar Meter beim Tragen helfen, nachdem du dich lang genug an unserer Plage geweidet hast?« Es klang nicht gerade freundlich.

»Ach so!« Fenek ging im selben Tempo wie immer zur Tür. Da waren sie aber schon da, und Nora sagte nur: »Also weißt du, das ist ja nicht zu fassen!«

»Wieso?« Fenek nahm Nora die Taschen aus der Hand und stellte sie auf den Boden. »Ihr hättet bloß etwas zu sagen brauchen.« Nora machte mit der Hand eine Bewegung, die soviel wie »pfeif drauf« hieß. Typisch Nora. Anstatt einen rechtzeitig auf etwas aufmerksam zu machen, gab es im nachhinein Vorwürfe. Fenek sah durchs Fenster eine Katze über die Felder schleichen, und Pu und Laja wollten zuerst einmal einen Saft haben. Gedankenverloren öffnete Fenek die Flasche, trank einen Schluck daraus und füllte dann Pu und Laja die Gläser voll. Kurz darauf war er verschwunden.

»Fenek«, rief Nora, aber es kam keine Antwort mehr. »In einer Stunde essen wir.«

»Der kommt nicht so bald wieder«, meinte Pu, dem das Wasser in den Augen stand, soviel hatte er auf einmal getrunken. Jetzt drohte er überzugehen. Und Laja sagte, wenn sie Nora wäre, so ließe sie sich von Fenek nichts gefallen, aber auch schon gar nichts.

Nach jenem raschen Essen, zu dem Fenek natürlich nicht erschienen war, hatte Nora ihre Wörterbücher und ihr Schreibzeug ausgepackt, wild entschlossen, gleich am ersten Tag mit der Übersetzungsarbeit zu beginnen, nicht weil sie so dringend war, sondern damit die Kinder von Anfang an lernten, ihre Arbeitszeit zu respektieren. Sie hatte einige Meter vom Häuschen entfernt eine Laube entdeckt, besser gesagt ein Salettl, in das sie sich zurückziehen würde. Sie wollte es in der Zeit, in der sie auf die Bäurin wartete, reinigen, um dann im Freien draußen und doch geschützt ihrer städtischen Arbeit ländlichen Sauerstoff zuzuführen.

»Geht«, sagte sie zu den Kindern, als sie die Bäurin kommen hörte, »und schaut euch die Gegend an oder spielt, nicht zu nah an meinem Büro, wenn ich bitten darf, ihr habt jede Möglichkeit, euch auszutoben, nur nicht in meiner unmittelbaren Nähe.«

Die Bäurin hatte es eilig, und in kürzester Zeit brannte im Ofen ein Feuer, das Nora nun getrost wieder ausgehen lassen konnte, jetzt, wo sie wußte, wie man es machte. Zumindest glaubte sie, es zu wissen. »Und der Bub«, sagte die Bäurin, »ist Gott sei Dank auch wieder da. Mit fünf Klammern auf seiner Wunde, aber immerhin hat er nicht ins Spital müssen. Und in ein paar Tagen wird er schon wieder herumspringen.«

Nora liebte dieses Wetter, den drohenden Regen, der nicht kam, diese beinah unheimliche Windstille, die Überdeutlichkeit der Berge. Wetter dieser Art inspirierte sie geradezu. Es war weder die Niedergeschlagenheit, die sie bei beginnendem Landregen befiel, noch die Enttäuschung, bei schönem Wetter etwas zu versäumen. Sie fühlte sich ausgesprochen wohl, dachte in mehreren »Zungen« und schrieb eine Reihe von Bögen voll. Acht solcher Wochen, und sie hätte mehr zuwege gebracht als in drei Monaten unter den sonstigen Bedingungen. Nora wurde von Stunde zu Stunde zufriedener mit sich, ja sie freute sich schon auf den Abend mit den Kindern, sie würden gemeinsam irgend etwas spielen oder lesen oder beides und es sich gemütlich machen. Nach einem Arbeitsnachmittag wie diesem würde sie nichts mehr aus der Ruhe bringen können.

Sie hatte ihr tägliches Pensum schon längst überschritten, als sie ihre Sachen zusammenpackte und ins Haus trug. Sie sang sogar leise vor sich hin: »Ein Schnitter kam gezogen, weit aus der Mandschurei, er hat aus Apfelschalen Hosen und Rock dabei …«, und im Haus selbst legte sie sich kurz auf die Eckbank, um sich vollkommen zu entspannen, bevor sie sich wieder mit dem Ofen beschäftigte. Es konnte nur mehr Minuten dauern, bis die Kinder kamen, zumindest auf Pu war in dieser Hinsicht Verlaß, denn der hatte ganz sicher Hunger.

Sie hatte das Radio eingeschaltet, um das Abendjournal zu hören, und nach mehreren Versuchen war es ihr dann doch gelungen, so etwas wie ein Feuer im Ofen zustande zu bringen, auch wenn es noch immer ein bißchen rauchte und sie alle Fenster offenhalten mußte. Wahrscheinlich war die Luftfeuchtigkeit schuld oder was auch immer. Und da sie in so guter Laune war, beschloß sie, Palatschinken zu machen, obwohl sie sie selber gar nicht so mochte.

Mein Gott, dachte sie, während sich die Nachrichten aus aller Welt überschlugen, wie es da überall zugeht. Ständig ist ein Drittel der Menschheit damit beschäftigt, das zweite Drittel auszurotten, während das dritte Drittel in aller Ruhe die Waffen dafür herstellt. Und wir sitzen hier, im tiefsten Frieden, mitten in den Bergen, und können es uns gutgehen lassen. Sie kleckste mit einem Schöpflöffel Omelettenteig in die Pfanne, und wie immer wurden die ersten paar Versuche zum Kaiserschmarren, da der Teig noch nicht die richtige Konsistenz hatte. Aber das konnte sie nicht erschüttern, denn spätestens ab dem dritten Versuch wurden es dann eben doch Palatschinken – und siehe da, so geschah es auch diesmal wieder –, und sie konnte sie auf dem Teller über dem Wasserbad sorgsam übereinanderschichten, so daß die Kinder, wenn sie voller Hunger zur Tür hereinstürmten, sie gleich essen konnten. Das Abendjournal schloß mit einem Hinweis auf die verschiedenen Programme und welche davon besonders bemerkenswert wären, und sie wechselte zu einem anderen Sender über, um nur Musik zu hören. Zwischendurch trat sie manchmal ans Fenster, um nach den Kindern Ausschau zu halten, aber es war weit und breit niemand zu sehen.

Die Ränder der Palatschinken begannen schlaff zu werden, und sie mußte eine Schüssel darüberstülpen, um den ganzen Stoß bis obenhin warmzuhalten. Wo konnten die Kinder bloß sein? Ob Laja und Pu sich im Wald verlaufen hatten? Aber was war dann mit Fenek? Sie konnten doch nicht alle drei einfach verschwunden sein, und das gleich am ersten Tag. Vielleicht hätte sie sie doch nicht einfach wegschicken sollen. Möglicherweise war ihr Ton um eine Spur zu burschikos gewesen. Und klarerweise konnte auch hier auf dem Land etwas passieren. Sie neigte wohl auch dazu, die Gefahren auf dem Lande zu unterschätzen. Der Verkehr war geringer, aber gerade die Einheimischen fuhren um so wilder. Und Urlauber gab es ja auch. Ihr Herz schlug schneller, und sie begann aus dem Fenster nach ihnen zu rufen. Zu blöd. Sie hatte auch keine fixe Uhrzeit ausgemacht. Das würde ihr eine Lehre sein. Von nun an würde es heißen, um Punkt sechs oder um Punkt sieben, und keine Minute später. Das war ja nicht zum Aushalten. Das Essen war fertig und bereits dabei, unansehnlich zu werden, und keines von den Dreien ließ sich anschauen. Wie immer in solchen Fällen sagte sie sich, sie dürfe nun keineswegs die Laune und die Nerven verlieren. Ob sie sie suchen gehen sollte? Aber wo? Und möglicherweise ging dann das Feuer aus. Wenn sie in der Nähe waren, würden sie schon heimkommen, und wenn sie weiter weg waren, ja, wo sollte sie mit dem Suchen anfangen? In ihr begann *es* zu toben. Also wenn sie nur so herumtrödeln und keinen Gedanken daran verschwenden, daß ich da am Herd stehe und mir für sie Mühe gebe. Es war ja ausgemacht, daß am Abend gekocht wird, oder vielleicht nicht? Wenn die einfach alles vergessen, dann können die was erleben. Ich bin doch nicht blöd. Aber wenn wirklich etwas passiert war? Sie hatte ja doch die Verantwortung, auch wenn sie zu Vater eins und zu ihrer Schwester gesagt hatte: »Gern, ich werde mein Bestes tun, aber wenn irgend etwas passiert, mich könnt ihr nicht verantwortlich machen …!« Im Grunde war das doch nur dummes Gerede. Die Kinder waren bei ihr, also hatte sie auch die Verantwortung für sie. Warum? sagte sie sich, warum gerate immer ich in solche Situationen? Hatte ich mit Pu nicht genug? Nein, es mußten gleich noch zwei sein. Wie viele Köpfe – so viele Ideen. Wer weiß, was ihnen da alles eingefallen ist.

Sie setzte sich und las die Zeitung, das hatte sie am Vormittag vergessen. Aber nach einer Viertelstunde hielt sie es nicht mehr aus. Irgend etwas mußte geschehen. Sie mußte sie suchen. Sollte sie das Haus inzwischen absperren oder offenlassen? Wer weiß, wie lange sie wegblieb. Inzwischen konnte sich in aller Ruhe jemand einschleichen. Oder die Kinder kamen zurück, sahen, daß das Haus versperrt war, und schwärmten wieder in alle Himmelsrichtungen aus. Zu dumm. Sie nahm eine Jacke und trat vor die Tür.

Natürlich war es noch hell, aber um die Zeit hatten sie einfach zu Hause zu sein. In Kürze würde es zu dunkeln beginnen, und Pu war doch erst sieben, Laja fürchtete sich nachts, und bei Fenek wußte man nicht, was er anstellte. Sie drehte den Schlüssel um, ohne ihn abzuziehen. Die dümmste Lösung, wie ihr vorkam, und doch. Da konnten die Kinder ins Haus, und sie merkte, ob jemand da war, wenn sie zurückkam und der Schlüssel zwar steckte, aber nicht abgesperrt war. Wo wollte sie überhaupt hin? Sie ging ein Stück den Abhang entlang, bis sie Einblick in ein langes Stück der Straße hatte, aber da kam niemand. Dann bog sie ab, in Richtung auf den Bauernhof. So unangenehm es ihr war, die Bäurin heute noch einmal zu belästigen, sie würde sich vorsichtig erkundigen, wo sie denn zu suchen anfangen solle. Die Bäurin würde vielleicht von ihren Kindern her wissen, welches die bevorzugten Himmelsrichtungen waren. Das fing ja gut an, und wer wußte, was in den acht Wochen noch alles nachkam, die Möglichkeiten waren so vielfältig, daß sie keine Lust hatte, sie sich alle aus-zudenken. Kurz vor dem Bauernhof, genauer gesagt, hinter dem Misthaufen, begegneten sie einander. Die Kinder waren so ins Reden und Gestikulieren vertieft, daß sie sie erst bemerkten, als sie beinah aufeinanderstießen.

»Also«, fauchte Nora. »Hallo, Mama, Nora«, sie kamen auf sie zugelaufen, und Pu legte sogar die Arme um ihre Hüften. Es war ganz offensichtlich, daß sie keine Ahnung hatten, warum Nora gekommen war.

»Ist das Feuer schon wieder ausgegangen, und mußt du die Bäurin bitten?« fragte Laja.

»Das Feuer nicht, aber meine Geduld. Das Essen ist schon längst fertig. Wißt ihr überhaupt, wie spät es ist?«

Fenek runzelte die Stirn. »Halb acht, schätzomativ!« Er hatte nicht auf die Uhr geschaut, sondern die Zeit aufgrund anderer Anhaltspunkte festgestellt. »Ja«, sagte er dann, »das muß stimmen, denn vor den Nachrichten sind wir weggegangen.«

»Was habt ihr denn überhaupt gemacht?« fragte Nora die Kleineren. »Wart ihr hier auf dem Hof?« Sie nickten. »Und habt ihr mit dem Kalb gespielt oder im Heu, oder was war denn so lustig? Oder habt ihr bei irgend etwas helfen kön-nen?« Sie steckte Pu das Polohemd in die Hose, das wie immer herausgerutscht war und bei jeder Bewegung einen Streifen Bauch freigab.

Die Kinder schwiegen einen Augenblick, dann sahen sie einander an, und Pu platzte heraus: »Das war super, wie die mit dem Raumschiff da einfach auf dem Fußballplatz gelan-det sind …«

Nora schaute von einem zum anderen. Dann war ihr plötz-lich alles klar.

»Wir waren fernsehen«, sagte Pu, »zuerst sind wir ein bißchen herumgegangen, und dann waren wir im Bauernhof fernsehen.«

»Die Julie ist nach Hause gekommen«, sagte Laja, »aber die wollte auch fernsehen, und da haben wir uns in die Stube gesetzt …«

»Der Edi hat auch ferngesehen«, sagte Fenek, »da spürt er seinen Fuß nicht so.«

Nora seufzte eher resigniert als empört: »Also kommt. Und daß ihr mir das nächste Mal Bescheid sagt, ich warte und warte …«

Fenek lief vor. »Ich dreh euch das Licht auf«, sagte er. Der Himmel war so bewölkt, daß es schon dunkel wurde. Pu und Laja nahmen Nora an der Hand und zogen sie. Nora schüttelte noch immer den Kopf, als hätte sie nervöse Zuckungen.

»Fahren aufs Land«, murmelte sie, »besuchen einen Bauernhof … zum Fernsehen …«

»Und weißt du«, rief Pu, »die hatten einen Computer, mit dem man Gedanken übertragen kann, und das wollten die anderen natürlich auch …«

»Welche anderen?«

»Na, die auf der Erde, die Menschen, wer denn sonst?«

Es war tief in der Nacht, als Pu Fenek weckte. »Sie heult«, flüsterte er und rüttelte Fenek so lange, bis er sich aufgesetzt hatte. Aus der anderen Mansarde drang Licht und ein Schluchzen, das jemand zu unterdrücken versuchte, was nur dazu führte, daß das ganze Bett mitschwang. Pu war schon wieder zu Laja hinübergewischt, und in seiner Ratlosigkeit legte er sich auf sie, um sie zu trösten. Er versuchte sie überall dort zu streicheln, wo er ein Stück von ihr zu fassen bekam, und dabei redete er auf sie ein wie auf ein Meerschweinchen, das keinen Appetit hat. »Is ja schon gut«, murmelte er und »was hast du denn«, und das alles in einem Tonfall, als sei er wesentlich älter als Laja, aber irgendwie bekam er das doch nicht hin.

Schlaftrunken kam Fenek angestapft, doch mit einemmal schien er völlig wach zu sein. Er zog Pu von Laja herunter. »Du erdrückst sie ja«, sagte er, »setz dich lieber zu ihren Füßen hin und gib acht, daß sie zugedeckt bleibt. Hör zu«, sagte er dann zu Laja und versuchte ihr Gesicht herumzudrehen, was ihm aber nicht gelang. Er kramte nach einem Taschentuch, und als er keins fand, fuhr er Pu an: »Ich hab doch gesagt, ihr sollt Taschentücher kaufen.«

»Haben wir ja auch, aber die große Packung ist unten.«

»So ein Scheiß. Dann hol eben ein Stofftaschentuch aus dem Kasten!« Pu suchte eine Zeitlang und kam dann mit einem großen, das er nur zögernd an Fenek weitergab. Es war eines von Vater eins, ein großes, vom vielen Waschen weiches Herrentaschentuch, das Pu sehr liebte, weshalb er sich auch nie hineinschneuzte. Er nahm es überallhin mit und hatte es selbst in den Koffer gepackt. »Na endlich.« Fenek beäugte das Taschentuch – sicher wußte er sofort, von wem es stammte – und hielt es Laja unter die Nase. Sie begann sich zu schneuzen, wischte auch die Tränen ab und drehte dann Fenek das Gesicht zu.

»Du wirst sehen«, sagte Fenek, »es ist nur in den ersten Monaten schlimm. Dann fangen sie wieder an miteinander zu reden, und mit der Zeit pendelt sich alles irgendwie ein.« Laja schüttelte heftig den Kopf. »Mir kannst du's glauben«, sagte Fenek, »ich kenn das Theater in- und auswendig. Und wenn du mir nicht glaubst, dann frag Pu.« Pu nickte bekräftigend mit dem Kopf, stolz darüber, daß ausgerechnet Fenek ihn zur Bestätigung anführte.

Laja schüttelte noch immer den Kopf. »Dieses *Scheißweib*«, quoll es plötzlich aus ihr hervor.

»Was für ein *Scheißweib*?« Fenek saß da wie ein Arzt, gerade daß er nicht Lajas Puls fühlte.

»Die, die an allem schuld ist.«

Fenek seufzte. »An das Märchen glaub ich nicht mehr.«

»Klar ist dieses *Scheißweib* an allem schuld«, schluchzte Laja trotzig.

»Weißt du, wer in meinem Fall das *Scheißweib* war?« Fenek beugte sich vor, um es Laja geradewegs ins Gesicht zu sagen: »Nora.« Laja zuckte. »Und weißt du, wer in Pus Fall das *Scheißweib* war: Sylvie.«

»Nora ist kein *Scheißweib*«, sagte Pu zornig. Er hatte begonnen, seine Mutter Nora zu nennen, so wie die anderen.

»Das sag ich ja«, zischte Fenek. »Das Märchen vom Scheißweib glaub ich nicht mehr. Oder vom Scheißmann, wenn es einmal umgekehrt ist, wie zum Teil bei meiner Mutter.« Die winzige Spur Stolz, die dabei mitgeschwungen hatte, war schon zu viel für die beiden anderen.

»Nicht mein Vater, meine Mutter hat sich scheiden lassen«, sagte Laja schneidend, »weil sie sich das *Scheißweib* nicht mehr hat gefallen lassen.«

»Meine Mutter hat sich auch als erstes scheiden lassen«, sagte Pu bestimmt, obwohl er keine hundertprozentige Vorstellung von der Sache hatte, er war damals erst vier gewesen.

»Harr, harr«, machte Fenek, »ihr habt wirklich keine Ahnung. Ihr redet nur nach, was irgendwer euch vorquatscht. In Wirklichkeit sind sie alle beschissen, ich meine, was das angeht.«

»Und warum«, fragte Pu ernst, »warum sind sie alle beschissen?«

»Das weiß ich doch nicht. Ich weiß nur, daß nicht nur unsere so sind.«

»Ich will aber nicht, daß sie so sind«, sagte Laja zwischen zwei Hicksern, sie hatte Schluckauf bekommen.

Fenek verzog das Gesicht zu einem überlegenen Grinsen. »Scherz extrem«, sagte er gelassen, »wie wenn einer danach fragen würde, was du willst oder nicht willst.« Laja sah so aus, als würde sie wieder zu weinen anfangen.

»Es gibt nur eines«, sagte Fenek, und es klang so, als krame er im reichen Schatz seiner Erfahrung, »sie machen lassen. Die Ohren anlegen, abwarten und sie machen lassen.«

»Die Ohren anlegen?« fragte Laja erstaunt und schaute gebannt auf Feneks große Wüstenfuchsohren. Hatte sie sich getäuscht, oder hatte er wirklich damit gewackelt?

»Noch einmal, bitte, noch einmal«, rief Pu lachend. Und jetzt erst wußte er wieder, worauf er schon die ganze Zeit über, seit Fenek hier war, gewartet hatte. Das war es, natürlich.

»Wie machst du das?« fragte Laja und lachte beinah.

»Ganz einfach, so«, sagte Fenek und wackelte wieder mit beiden Ohren.

Da lachte Laja wirklich. Fenek stand auf.

»Und jetzt sagt der Fuchs zum Sumpfhuhn gute Nacht.« Schon war Fenek verschwunden.

»Soll ich bei dir schlafen?« fragte Pu und streichelte gedankenverloren Lajas Füße unter der Decke.

Laja schüttelte den Kopf, und Pu trottete allein in sein einsames, ausgekühltes Bett zurück. Als er das Licht gelöscht hatte, nahm er sich vor, auch irgend etwas zu lernen, das solchen Eindruck machte wie Feneks Ohrenwackeln. Er konnte zwar wie ein Hase die Nasenflügel bewegen, aber das konnten viele andere auch. Vielleicht, wenn er es lernte, sich mit der rechten Zehe am linken Ohr zu kratzen, hintenherum natürlich.

»Laja«, fragte er leise, »glaubst du, ich kann mich mit der Zehe am Ohr kratzen, *hintenherum natürlich?*«

Aber Laja mußte schon eingeschlafen sein, denn sie antwortete nicht mehr.

Einige Tage später kam Lajas Vater für ein paar Stunden zu Besuch. Das »Scheißweib« war im Auto sitzen geblieben, das Lajas Vater etwas unterhalb des Hauses hinter einem lebenden Zaun abgestellt hatte. Fenek war das nicht entgangen, und Laja spürte oder ahnte es. Sie weigerte sich, mit ihrem Vater Eisessen zu fahren. »Warum bleiben wir nicht da, wenn du eh nur eine Stunde Zeit hast? Die Kaffeehäuser im Ort sind grauslich, und das Eis schmeckt nach Zahnpasta«, sagte sie und zog ihn auf die Bank vor dem Haus. Er hatte ihr eine Puppe mitgebracht, so eine mit echten wasserstoffblonden Haaren und klappernden Augendeckeln, und dazu einen Koffer mit Puppenkleidern. »Das ist gut«, meinte Laja, »ich habe ohnehin keine meiner Puppen mitgenommen.« Die Wahrheit war, daß sie sich nicht mehr viel aus Puppen machte. Sie hätte viel lieber einen kleinen Hund oder eine Katze oder einen Vogel gehabt, aber das ging alles angeblich nicht. Und dafür konnte ihr Vater wirklich nichts. Er wohnte ja schon seit einiger Zeit nicht mehr bei ihnen, und als er bei ihnen gewohnt hatte, war sie noch mit all ihren Puppen ins Bett gegangen und hatte nur an Stofftiere gedacht. Sie zog also die Puppe an und aus und schaute im Koffer nach, ob auch Höschen dabei waren, und zu ihrem Vater sagte sie, die Puppe sei wirklich ganz schön. Sehr schön wäre gelogen gewesen, also sagte sie ganz schön, damit ihr Vater nicht meinen sollte, sie freue sich überhaupt nicht.

Fenek und Pu sahen einander an und verdrehten die Augen, und das nicht nur wegen der Puppe, und nach einiger Zeit konnte sich Pu nicht mehr beherrschen. »Für uns hast du wohl gar nichts mitgebracht?« fragte er beinhart, und Lajas Vater wurde buchstäblich rot, so daß Fenek ihm zu Hilfe kam und meinte, da sei doch nichts dabei, es könne doch nicht immer jeder allen etwas mitbringen.

»Wieso jeder«, fragte da der Vater gleich, »bekommt Laja öfter Besuch?«

»Ach wo«, sagte Fenek. Typisch, dachte er, jetzt interessiert es ihn doch, ob Frau eins auch schon wieder einen Scheich hat, der mit ihr hier angetanzt kommt, um Laja Geschenke zu bringen und allen anderen auch was.

»Ich hab gedacht«, versuchte Lajas Vater sich aus der Affäre zu ziehen, »ich geb euch lieber etwas Geld, da könnt ihr euch selber eine Kleinigkeit kaufen. So gut kenn ich euch ja gar nicht, um zu wissen, was euch wirklich Spaß macht.«

»Das ist sehr freundlich von Ihnen«, sagte Fenek und zog den Rest des Satzes hörbar in die Länge, »aber wirklich nicht nööötig.« Er hatte Nora bemerkt, die gerade Kaffee kochte und plötzlich das Ohr zum Fenster raushielt. Gleich würde sie sagen: »Kommt gar nicht in Frage«, und später würde es ein Verhör darüber geben, wer denn schon wieder mit dieser Bettelei angefangen habe. Pu, vor allem Pu, und dabei würde sie ihn ganz scharf anschauen, wisse ganz genau, daß sie das auf den Tod nicht ausstehen könne.

»Das weiß ich«, sagte Lajas Vater und bekam tatsächlich wieder Überwasser, »daß es nicht nötig ist, aber ich würde euch gerne eine Freude machen. Ihr seid doch die ganze Zeit mit Laja zusammen, und ich kann mir vorstellen, daß ihr ihr auch etwas abgebt, wenn ihr etwas bekommt.«

Dieser alte Erpresser. Fenek begann wütend zu werden. Was glaubte er denn? Daß er sich ihre Freundschaft mit Laja kaufen könnte? Dafür wollte er sogar ein bißchen Kleingeld springen lassen? Arme Laja. Da war Vater eins ja noch ein Wahrheitsfanatiker dagegen. Der tat wenigstens gar nicht erst so, als wäre er rührend darum besorgt, wie es seinen Kindern ging, wenn er nicht dabei war. Und in einer solchen Situation würde er höchstens sagen: »Wenn man dir gibt, dann nimm – wenn man dir nimmt, dann schrei!«

Nora kam mit dem Kaffee, und Fenek stellte den Gartentisch vor die Hausbank. Lajas Vater versuchte mit Nora herumzualbern, und die spielte gutmütig mit, offensichtlich war es für sie am leichtesten, so mit ihm umzugehen. Pu hatte anfangs versucht, Lajas Vater für sich zu interessieren, wie er es mit allen als Väter in Frage kommenden Männern tat, aber als Lajas Vater sich als über die Maßen untalentiert erwies und nicht einmal bereit gewesen war, mit Pu zum Bach hinunterzugehen, um seine Angel auszuprobieren, verlor er das Interesse und machte Fenek Zeichen, sich mit ihm zusammen zu verdrücken. Aber das kam nun wirklich nicht in Frage, denn so wie Fenek Lajas Vater einschätzte, würde der glatt vergessen, daß er ihnen Geld versprochen hatte, und das konnte er wirklich nicht zulassen.

»Also gut«, sagte Pu beleidigt, »dann geh ich eben allein.« Er holte seine Angel und trollte sich in Richtung Bach.

»Verabschiede dich«, rief Nora ihm nach, aber er hörte sie absichtlich nicht mehr.

Lang konnte es ja nicht mehr dauern, das war Fenek klar. In Kürze würde das »Scheißweib« unruhig werden, und das wiederum war auch Lajas Vater klar. Die hatten sich das wahrscheinlich ganz anders ausgedacht. Nämlich, wenn Laja mit ihrem Vater Eisessen gefahren wäre, hätte sie zwangsweise und ohne großes Aufheben das »Scheißweib« kennengelernt, hätte mit ihm am selben Tisch in der Konditorei gesessen, und vielleicht hätten sie sich sogar freundlich miteinander unterhalten. Daraus war nun nichts geworden, und Lajas Vater würde es irgendwie zu erklären versuchen und sagen, daß es beim nächsten Mal sicher klappen würde, und man dürfe eben nichts überstürzen. Und über kurz oder lang würde es dann schon so weit kommen, und im nächsten Jahr würde Laja sicher nicht mehr von ihr als vom »Scheißweib« reden, sondern per Vornamen und sie entweder mögen oder nicht mögen, aber das war sicher kein solches Problem wie der neue Freund ihrer Mutter, den die bis dahin vielleicht auch schon haben würde und mit dem Laja sicher öfter zusammen sein müßte als mit dem »Scheißweib«.

»Wie kommst du denn so zurecht mit den Dreien?« fragte Lajas Vater Nora. »Da hast du dir ja ganz schön was aufgehalst.« Nora lachte, und Fenek schluckte wütend. Daß die nie anders von ihnen reden konnten als mit Worten wie »am Hals haben, aufgehalst« und so weiter.

»Ach was«, sagte Nora, und dafür hätte Fenek sie beinah umarmen mögen, »wir leben ganz prächtig. Ich habe sogar einen Schachpartner«, und sie zeigte auf Fenek, »den ich nur mit Mühe besiegen kann.«

»Auch nicht mit Mühe«, grinste Fenek, und Nora drohte mit dem Zeichen für Ohrfeigen.

Das Wetter war zum Schämen, nämlich für das Wetter. Seit sie hier waren, hatten sie noch nicht einmal schwimmen gehen

können, und sie schienen schon froh, wenn es nicht ununter-
brochen regnete. Sie waren im Bergwerk gewesen und im Hei-
matmuseum und in sämtlichen Konditoreien der umliegen-
den Ortschaften, und wenn Nora arbeiten wollte, schickte sie
sie in den Nachbarort ins Hallenbad, damit sie wenigstens ein
paar Stunden ungestört war. Auch den Wald hatten sie schon
mehrmals durchstöbert, mit und ohne Nora, aber es gab noch
keine Pilze, da halfen weder das mitgeschleppte Pilzbestim-
mungsbuch noch die Messer und Körbe, in denen die gefun-
denen Riesenpilze fachgerecht hätten transportiert werden
sollen. Nun war es wieder einmal soweit, daß es sich aufzu-
hellen schien und alle geduldig darauf warteten, daß der Himmel blau und strahlend wurde, und wenn ihre Blicke Wasser
hätten zum Verdunsten bringen können, dann hätte nicht das
kleinste Wölkchen mehr eine Chance gehabt.

Fenek hatte Pu und Laja dazu überreden können, das Geld,
das Lajas Vater ihnen dann doch noch zugesteckt hatte, in
Töpferton anzulegen. Töpferton war eine herrliche Sache,
und während Nora, in Decken gewickelt, in ihrer Laube
werkte, fingen Fenek, Pu und Laja damit an, ihrer Schöpfer-
kraft freien Lauf zu lassen. Sie formten Aschenbecher aus
handgewuzelten Würstchen und fette kleine Möpse, denen
sie die Namen ihrer Lehrer gaben. Pu machte eine Figur, die,
wie er sagte, eine Schüssel hielt – wenn sie auch so aussah, als
hielte *sie* sich an der Schüssel fest, und Laja produzierte eine
Reihe von tönernen Fatschkindern mit aufgerissenen Mäu-
lern und zu Kugeln geballten kleinen Fäusten, die an den
Rand des Steckkissens geklebt waren. Natürlich hatten sie
nichts untergelegt, und ausgerechnet Fenek, der große Fenek
– so würde Nora sagen, wenn sie daraufkam – begann die
Fugen des Gartentisches mit Töpferton zu verschmieren,

komplett nahtlos, und diese Tätigkeit erfüllte ihn mit einem wohligen Gefühl der Befriedigung, so idiotisch er sich dabei auch vorkam. Doch er konnte, nachdem sein Finger einmal diesen Weg gefunden hatte, nicht und nicht damit aufhören. Da wurde auch Pu stutzig. »Was machst du denn da?«

»Nichts, ganz und gar nichts«, summte Fenek, und Pu begann zu kichern. Dann holte er Wasser und streckte damit den Töpferton. Er tauchte den Finger ein und begann zu malen. An der holzverschalten Hauswand sah das besonders attraktiv aus.

»Seid ihr blöd geworden?« schrie Laja, aber da lachte sie auch schon und mischte Sand und Erde in ihren Ton, um ihm eine andere Färbung zu geben. »Schaut«, sagte Laja und schmierte dicke Patzen auf Tisch und Bank, die sie dann mit den Fingern in alle möglichen Formen quetschte.

»Ein Rüssel«, kicherte Pu. »Oder ein Schwanz«, meinte Fenek.

»Ein Ast«, schrie Laja, »ich lach mir einen Ast.«

»Und ich mir einen Holzfuß«, Fenek hopste auf einem Bein und malte Pu einen Punkt auf die Stirn.

»Laß ihn in Ruh«, rief Laja und versuchte sich an Feneks Hose die verschmierten Finger abzuwischen.

»Spinnst du?« Fenek fuhr herum, erwischte einen Patzen des gemischten Drecks und steckte ihn Laja in den Halsausschnitt ihres Kleides. Pu hatte die Gelegenheit wahrgenommen und Fenek eine Lehmkugel an den Bauch geschossen. Das war das Startzeichen. Nun schoß ein jeder auf jeden. Die Aschenbecher, Fatschkinder und sonstigen Ziergegenstände wurden wieder zerlegt und zu kleinen Wurfgeschossen gemacht. Da die Fenster offen waren, flogen einige ins Haus hinein, andere landeten an der Hauswand oder in ihren Gesichtern. Sie sahen aus wie ein australischer Stamm, bevor die Klappe zur nächsten Filmaufnahme fällt, und merkten gar nicht, daß Nora, von ihrem Geschrei angelockt, mit großen zornigen Schritten auf sie zukam. Und vor lauter Kreischen hörten sie auch nicht, wie Nora »aufhören« oder sonstwas in der Art brüllte, nur Fenek behielt sie irgendwie im Augenwinkel, obwohl er jetzt wirklich nicht aufhören konnte.

»Na wartet«, Noras Empörung mußte ein gewaltiges Ausmaß angenommen haben. Sogar Pu hielt einen Augenblick inne, mußte aber vor einem Geschoß von Laja in Deckung gehen. Und Laja schien überhaupt die Welt um sich her vergessen zu haben. Sie lachte, gurgelte, schoß mit den Lehmpatzen, und es schien, als fühle sie sich zum ersten Mal, seit sie hier war, so richtig wohl. Ihr Gesicht war rot, und in ihren Augen verdampften all die noch nicht geweinten Tränen.

Irgendwann mußte Nora noch einmal »aufhören« gerufen haben, und obwohl Fenck sich später auch daran erinnerte, war er in keiner Weise auf das vorbereitet, was nun geschah. Als er Nora mit dem Kübel, der unter der Dachtraufe stand, daherkommen sah, dauerte es genau eine Sekunde lang, bis er den richtigen Schluß zog. Da hatte sie sie bereits mit einem Schwall angeschüttet, der so mächtig war, daß er sie alle drei erwischte und zum Wanken brachte. Und Nora, die so richtig wütend war, schreckte auch nicht davor zurück, den Rest des Kübels in ihre Richtung zu schütten, und das, obwohl sie nun schon in Deckung gegangen waren, so daß sich das Wasser über den Tisch und an die Hauswand ergoß, was die Schweinerei nur noch vergrößerte. Sie hatten natürlich alle ganz laut geschrien, als das kalte Wasser über sie kam, und Pu fing sofort zu maulen an, »und wenn wir dann verkühlt sind, dann ist es deine Schuld«, aber als er den zweiten Schwall spürte, hielt auch er den Mund und spuckte den Lehm aus, den der erste Schwall aus seinem Gesicht in seinen Mund gespült hatte.

»So«, sagte Nora, noch immer erbost, aber es klang auch schon Erleichterung mit, und stellte den Kübel wieder unter die Traufe. Laja versuchte ihr Kleid auszuwinden, und Fenek hatte ein ungutes Gefühl, wie vor vielen Jahren, als er zum letzten Mal in die Hose gemacht hatte. »So«, sagte Nora noch einmal, und Fenek dachte, als Lehrerin wär die unmöglich. Und erst im Internat. Keine drei Tage könnte die sich dort als Erzieherin halten, so wie die Dampf abläßt. Und dann fing Nora auch noch zu lachen an. »Wie ihr ausseht«, rief sie und konnte sich kaum fassen. Fenek, Pu und Laja, die bis dahin Nora angeschaut hatten, sahen nun erstmals wieder einander an, und da mußten sie trotz der schrecklichen nassen Kleider auch lachen.

»So«, sagte Nora ein drittes Mal, »und jetzt zieht euch aus, aber plötzlich.«

»Hier«, rief sie und faßte Pu am Arm, der gerade ins Haus hineinlaufen wollte. »Glaubt ihr, ich kann die ganze Schweinerei da drinnen brauchen. Ihr zieht euch hier aus, bis auf die Unterhose.« Sie sammelte die Kleidungsstücke ein und überlegte, ob man den Ton zuerst trocknen und dann ausbürsten oder ob man das Ganze, so wie es war, im Bach ausschwemmen sollte, bevor man den Abfluß des Waschbeckens damit verstopfte.

Als die Kinder sich umgezogen hatten, wartete unten vor dem Haus eine dräuende Nora, die inzwischen auch schon entdeckt hatte, daß mehrere Geschosse in die Küche gedrungen und am Ofen beziehungsweise am Küchenbord zerschellt waren. »Jeder holt sich eine Bürste, einen Fetzen oder sonstwas. Pu reibt den Tisch ab, Laja die Bank, und Fenek, der große Fenek, wird freundlicherweise die Hauswand säubern. Habt ihr euch überhaupt schon angesehen, wie das hier alles ausschaut? Wenn die Bäurin zufällig rüberkommt, dann gnade uns Gott, dann können wir heute noch unsere Sachen packen.«

Es sah wirklich grotesk aus, der langsam trocknende Ton hob sich immer deutlicher gegen das dunkel gebeizte Holz der Hauswand und das Grün der Bank und des Tisches ab. Dabei wurden auch all die Schlieren, die das Wasser verursacht hatte, sichtbar, und Fenek wagte gar nicht daran zu denken, wie lange sie brauchen würden, um all das wieder in Ordnung zu bringen. Nora stand wie ein Sklavenaufseher neben ihnen, und als sie sicher war, daß jeder irgendeinen Lappen in der Hand hatte, ging sie ins Haus, um drinnen Dreck zu kehren, wie sie sagte. »Eigentlich bin ich blöd, daß ich das tue, aber wenn ich euch so zuschau, ist mir klar, daß ich bis morgen warten müßte, wenn ich das einzig Richtige täte, nämlich euch auch drinnen saubermachen lassen!«

Sie hörten sie noch ein Weilchen drinnen vor sich hin schimpfen, während sie die Krüge und Töpfe zur Seite rückte, zwischen die der langsam zerbröckelnde Ton gefallen war. Offensichtlich braucht sie das, dachte Fenek, und er war großzügig genug, es ihr zuzugestehen. Schließlich hätte es viel schlimmer kommen können. Nur Pu maulte, genau wie seine Mutter im Haus drinnen, noch eine Zeitlang vor sich hin und drohte, er würde Nora auch eines Tages anschütten, wenn wieder genügend Regenwasser im Kübel wäre und sie so gar nicht damit rechnete.

»Hör auf«, flüsterte Laja, »geregnet hat es wirklich genug. Willst du, daß es wieder zu schütten anfängt?«

»Ist mir auch wurscht«, Pu schlabberte mit seinem Fetzen

über die Tischplatte, daß der Dreck sich verteilte. Laja nahm ihm den Fetzen aus der Hand.

»So mußt du es machen«, sagte sie, »wenn du es so machst, dann werden wir heute noch fertig.«

Pu und Laja schliefen schon, und Fenek spielte mit Nora Schach.

»Wenn ich einmal Kinder habe«, sagte Fenek, »dann spielt sich das anders ab, das kannst du mir glauben.«

Nora sah nicht auf. »Und wie anders?«

»Ich werde immer da sein, und Internat und so gibt's einfach nicht.«

»Und du wirst es dir gründlich überlegen und einen Entschluß fürs Leben fassen und die Verantwortung tragen und für immer zu deinem Wort stehen, auch wenn es dir schwerfällt.«

»Spott nicht«, sagte Fenek, »du weißt genau, was ich meine, oder nicht?«

»Das weiß ich schon, so haben wir uns das ja auch alle einmal gedacht.«

»Ich weiß, ich weiß«, Fenek schnappte sich einen von Noras Bauern, »und jetzt sag bloß nicht noch, als ich in deinem Alter war ...«

»Versteh mich richtig«, Nora sah Fenek noch immer nicht an. »Wir haben das auch alle einmal ernst gemeint, vor allem das mit den Kindern. Aber irgendwie hat es dann nicht geklappt. Und jetzt heißt es: früher, ja früher, da war das ganz anders, da hat man sich diese Scheiderei nicht leisten können, da hätten so und so viele Leute gar nicht überlebt, da war der Zusammenhalt der Familie eine wirtschaftliche Notwendigkeit. Und da frage ich dich, wenn das alles war, ist es dann nicht folgerichtig, daß heute, wo der Zusammenhalt der

Familie keine absolute und wirtschaftliche Notwendigkeit mehr ist, so viele Familien auseinandergehen?«

»Wieso? Wenn man jemanden wirklich liebt, dann will man doch bei ihm bleiben? Und Kinder soll man eben nur haben, wenn man sich wirklich liebt«, sagte Fenek trotzig.

»Gibt es jemanden, den du wirklich liebst?« Diesmal sah Nora Fenek an, obwohl sie wußte, daß diese Frage nicht fair war.

Fenek zog den Kopf ein und antwortete nicht. Nie hätte er preisgegeben, was ihm im Augenblick durch den Kopf fuhr. Nicht umsonst spielte er so gut Schach. Er konnte ziemlich genau voraussagen, was Nora ihm antworten würde, wenn er sich auch nur mit einem Satz verriet. Und, Australien war weit.

»Wenn ich erwachsen bin«, sagte er, »dann schau ich mir eben die Frau genau an, die ich heirate.«

»Wenn du aber eine liebst, die ganz anders ist, als du dir eine Frau für dich vorstellst?«

Fenek schwieg. Ihm war klar, daß sie so zu keinem Ergebnis kommen würden.

»In allen Büchern von früher steht, daß Familien durch dick und dünn zusammen gehen sollen. Und das ist gut so.«

»Fragt sich, für wen«, sagte Nora, schärfer, als sie wollte. »Weißt du, was da Frauen manchmal mitgemacht haben, wenn sie Pech hatten oder es sich nicht richten konnten? Und glaubst du, daß das für die Kinder nur von Vorteil war? Für die Mädchen sicher nicht, die das Gefühl haben mußten, daß es ihnen auch einmal so ergehen würde. Und auch für die Buben war es kein Honiglecken. Glaubst du, die hätten nur annähernd so viel gedurft wie du? Die mußten parieren, sonst gab es ein paar mit dem Hosenriemen.«

»Wenn man jemanden wirklich verehrt und bewundert,

dann macht es einem nicht soviel, wenn man bestraft wird«, murmelte Fenek.

Nora hatte es für einige Augenblicke die Rede verschlagen. »Du würdest es einfach hinnehmen, daß dich jemand schlägt, und das vorsätzlich?«

Fenek lachte hämisch. »Glaubst du, Vater eins hat mir noch nie eine runtergehauen? Was heißt eine, das ging links-rechts, links-rechts.«

»Richtig geschlagen?« Nora riß die Augen auf. »Und aus welchem Grund?«

»Grund jede Menge«, Fenek versuchte zu lächeln. »Es hätte mich ja auch gar nicht so gestört: Dresch vergeht – Arsch besteht! Gestört hat mich, daß er es war, wo er sich doch auch nicht beherrschen kann. Außerdem kommt er selber immer um Stunden zu spät.«

»Und du bist sicher, daß ihm nicht nur einfach die Hand ausgekommen ist? Ich meine«, sie räusperte sich, »das kann mir auch einmal passieren.«

»Klar, daß er die Nerven verloren hat, aber er hat schon geschaut, wo er hinhaut.«

Nora schüttelte den Kopf. »Du mußt ihn ungeheuer provoziert haben. Er ist doch sonst nicht so.«

»Ich bin ihm deshalb ja nicht wirklich böse.« Fenek sprang mit dem Rössel. »Übrigens, deine Dame ist bedroht.«

»Hoppla«, sagte Nora.

»Ich wünsche mir nur, daß er irgendwie größer wäre. Ich meine nicht, daß er kleinlich ist, das ist er bestimmt nicht. Aber er hat keinen Überblick. Er schaut nicht um sich. Manchmal habe ich das Gefühl, er nimmt mich nicht wirklich wahr, so als wär ich eben nur jemand, für den er von Rechts wegen zu sorgen hat, besonders jetzt, wo Frau eins in Australien ist.« Er vermied es, das Wort Mutter in den Mund zu nehmen. »Vor allem aber hat er Angst davor, daß ihm mit mir irgendwas passiert, wofür er dann gradestehen muß. Ansonsten bin ich, glaube ich, für ihn gar nicht da, außer wenn er mir eine runterhaut, da spürt er mich wenigstens.«

Nora schaute verbissen auf ihre bedrohte Dame und suchte nach irgendeinem begütigenden, tröstlichen Satz, und je dringender sie danach suchte, desto weniger wollte ihr einer einfallen, den sie hätte sagen können, ohne vor Scham rot zu werden. Sie fuhr mit der Dame ein Feld weiter, und Fenek sagte: »Da kommst du erst recht ins Schlamassel.«

»Weißt du«, Nora sah auf, »das wünschen wir uns alle voneinander, größer zu sein. Wir wünschen uns, daß irgend jemand größer und daher für uns verantwortlich ist, und so geht es bis hin zum lieben Gott. Verantwortlich nicht nur für uns, sondern für die ganze Welt, für das Wetter, die Kriege und die Erdumlaufbahn. Drum suchen wir auch immer nach Verantwortlichen, nur daß die Verantwortlichen nicht immer die Schuldigen sind. Nicht, daß ich damit deinen Vater oder mich von allem freisprechen möchte, aber es ist einfach in den vergangenen Jahrzehnten zuviel durcheinandergeraten, als daß man die Schuld so einfach verteilen könnte. Alles ändert sich. Generationen haben um bestimmte Freiheiten, wie die, sich selbst einen Partner auszusuchen und die Wahl rückgängig machen zu können, wenn sich herausstellt, daß sie falsch war, gekämpft, und jetzt, wo wir sie haben, neigen wir dazu, uns zu überschätzen, uns und unsere Möglichkeiten. Ständig versuchen wir, etwas ungeschehen oder rückgängig zu machen, wenn wir das Gefühl haben, daß es eigentlich nicht das ist, was wir gewollt haben.«

»Wenn das ginge, würde Vater eins auch mich rückgängig

machen.« Fenek versuchte zu lachen. »Nur, das geht leider nicht.«

»Nein, das geht nicht«, sagte Nora, »Gott sei Dank geht das nicht. Er versucht nur immer wieder neu anzufangen, und wenn es dann wieder nicht so recht klappt, redet er sich ein, das sei deshalb, weil ihm zuviel nachhänge. Aber niemand kann seine Erfahrungen und Erlebnisse abstreifen, und was man bewirkt hat, wirkt auf einen zurück. Es ist nur furchtbar schwer, einzusehen, daß von den hundert Möglichkeiten, die einem angeblich offenstehen, an die achtundneunzig Scheinmöglichkeiten sind. Und so probiert man eben und probiert …«

»Bis sich herausstellt, daß es wieder nichts war und das Personal aufs neue gewechselt wird.« Fenek nahm nun Nora endgültig die Dame weg.

»Ich gebe zu«, sagte Nora, »daß man es auch so sehen kann, so weh mir das tut. Aber versuch es doch auch noch von einer anderen Seite zu sehen. Früher hatten die Leute so viele Kinder, weil das ihre einzige Altersversorgung war. Kinder waren ein Besitz. Und noch früher haben Väter über Leben und Tod ihrer Kinder, das heißt der Esser, bestimmen können. Ich weiß, das klingt grausam. Aber die Liebe zwischen Eltern und Kindern war durch eine Reihe von Notwendigkeiten gebunden, das Ganze war eine Überlebensfrage. Ich will nicht sagen, daß bei uns heute keine Notwendigkeit für die Liebe besteht, im Gegenteil, aber für die meisten von uns schaut es doch so aus, als wären wir mit der Liebe allein sitzengeblieben. Liebe aber ist etwas Lebendiges, das zu- und abnehmen, sich konzentrieren oder sich verteilen kann. Wenn ich weiß, daß dich nicht sofort die wilden Tiere fressen, wenn ich dich aus den Augen lasse, dann kann ich es mir eben hin und wieder leisten, dich aus den Augen zu lassen.«

»Du tust so«, sagte Fenek und richtete all die Figuren, die er Nora weggenommen hatte, in einer Geraden aus, »als gäbe es heute keine normalen Familien mehr, in denen es ganz gut klappt, so mit Vater, Mutter, Kindern und so, die sich aufeinander verlassen können.«

»Doch, die gibt es.« Nora starrte nachdenklich vor sich hin. »Natürlich gibt es die ...«

»Ich meine nicht die, die nur so tun, als wären sie eine Familie, und in Wirklichkeit können sie einander nicht ausstehen. Ich meine Familien, wo sich alle aufs Wochenende freuen, weil sie da zusammen was machen können. Familien eben, in denen Kinder was zu lachen haben ...«

»Ach, Fenek, das hab ich mir auch einmal gewünscht. Und ich hab sogar viel gelacht mit deinem Vater, aber dann ging es plötzlich nicht mehr, und wir sind immer weiter auseinandergerückt, um uns nicht zu beißen, bis jeder in seiner eigenen Höhle saß und von neuem anfangen wollte.«

»Warum hast du ihn überhaupt geheiratet?« Fenek stellte die Figuren für eine neue Partie zusammen und drehte dann das Brett.

»Warum?« Nora starrte noch immer. »Ja, warum eigentlich?«

»Was hat dich überhaupt auf die Idee gebracht? Bestimmt hast du ihn *geliebt*.« Er sprach das Wort aus wie ein Filmschauspieler, trotzdem klang es so, als wollte er es rasch loswerden und dann vergessen. »Du hast ihn doch schon lang genug gekannt und gewußt, wie er ist. Warum hast du ihn trotzdem geheiratet?«

»Warum?« Noras Gesicht war noch immer starr. »Damals habe ich gedacht, daß es so sein müsse, daß es das war, was ich wollte.«

»Und du warst dir ganz sicher?«

»Ziemlich sicher.«

»Aber warum wolltest du gerade ihn?«

»Es gibt Menschen«, sagte Nora, »die einen anziehen, weil sie einen zum Lachen bringen, die einen auf eine Weise unterhalten können, daß man sich überglücklich dabei fühlt. Dein Vater ist so ein Mensch. Nicht immer. Aber wenn er seine gute Zeit hat, erlebst du Wunder mit ihm. Es gibt so viele Menschen, mit denen man sich langweilt. Dein Vater gibt einem nicht die Gelegenheit dazu, entweder läßt er alle Stücke spielen, oder er ist unausstehlich, nur gelangweilt habe ich mich nie mit ihm.«

»Aber geheiratet, warum hast du ihn geheiratet?« Feneks Gesicht verriet vollkommene Spannung. »Ihr wart doch auch so zusammen.«

Nora massierte ihre Finger. »Wegen Pu. Ich wollte, daß Pu *normale* Bedingungen vorfände. Damals dachte ich noch, es sei wichtig, daß ein Kind ehelich geboren würde. Es sollte einen Vater, eine Mutter und einen Namen haben und nicht alles immer erst erklären müssen.«

»Glaubst du das noch immer?«

Nora schüttelte langsam den Kopf. »Ich glaube, es sollte vor allem ein paar Leute haben, zu denen es gehen kann, ganz egal, wer die sind. Und es sollte ein Gefühl dafür haben, wer die Leute sein könnten, und sie anlocken. Weißt du, ich stelle mir das so vor, daß die Kinder sich jemanden aussuchen und ihn dadurch irgendwie auszeichnen. Ich fürchte, ihr müßt euch auf den Weg machen, um all den überforderten und konfus gewordenen Müttern und Vätern noch eine Chance zu geben. Ihr müßt einfach mithelfen, uns alle zur Vernunft zu bringen. Es wird auch an dir liegen, und an Pu und Laja, in welche Richtung das Pendel, das sich im Augenblick nur dreht und dreht, ausschlagen wird. Denn auch ihr werdet einmal Väter sein und Mütter, und wenn ihr auch nicht so sein wollt wie wir, müßt ihr euch vielleicht doch mit uns zusammen etwas einfallen lassen.«

»Nichts leichter als das«, sagte Fenek. »Ich heirate, habe Kinder und kümmere mich ausschließlich um meine Familie.«

»Nichts schwerer als das, Fenek. Ich höre dich nur sagen: *Ich* heirate, *ich* habe Kinder, *ich* kümmere mich nur um *meine* Familie. Wenn es nur auf dich ankäme, würde ich sagen, du hast eine Chance. Aber es kommt nicht nur auf dich an. Zu irgend etwas waren die Kämpfe und Wirrnisse doch gut. Und es ist keinesfalls zu früh, daß du dich mit dem Gedanken vertraut machst, daß es zwar sehr wohl auf dich ankommt, daß es aber genauso auf die anderen ankommt, mit denen du einmal leben wirst. Das bißchen mehr Gerechtigkeit, das wir alle wollten, hat Schwierigkeiten genug gebracht, aber es soll nicht wieder verlorengehen, wenn die Schwierigkeiten kleiner geworden sind.«

»Ich versteh nur nicht«, sagte Fenek und klopfte mit seinem Turm auf die Tischplatte, »warum manche Leute so einen Verschleiß haben, warum sie es bei keinem Menschen lange aushalten.«

»Die Menschen sind verschieden, Fenek. Und sie sind nicht mehr im selben Maß abhängig voneinander wie früher. Und jemand, der nicht abhängig ist, läßt sich auch nicht gern was gefallen. Andererseits bestätigt es uns, wenn andere uns mögen. Das heißt, daß wir liebenswert sind. Und je mehr uns mögen, desto größer wird die Versuchung, es immer wieder mit jemand anderem zu versuchen. An Zuneigung kann man sich gewöhnen, Gewöhnung aber stumpft ab, und wenn einem da etwas Neues begegnet, ist der Reiz größer.«

»Ich finde das alles noch immer sehr ungerecht«, sagte Fenek.

»Das ist es auch, aber mit Gerechtigkeit wird man der Sympathie und der Antipathie kaum beikommen. Man soll sich nur nicht so oft täuschen lassen und über der Täuschung all seine anderen Gefühle verraten. Wir haben noch nicht so recht gelernt, mit den neuen Freiheiten umzugehen, aber wir werden es schon noch lernen. Allein, daß wir alle den Sommer über hier sind, das ist doch schon etwas.«

»Und du wirst lachen«, sagte Fenek – es war klar, daß er das Gespräch beenden wollte –, »ich bin gern hier. Na, wie hab ich das gesagt«, fragte er, »wie ein Seelenschmeichler? Spielst du noch eine Partie mit mir?«

Nora mußte gähnen. »O nein, nach diesem Raubzug kannst du lang warten.«

»Feig«, rief Fenek und räumte die Figuren ein. In Wirklichkeit war er auch schon müde, und wenn er nicht gleich ins Bett ging und das winzige Loch in den Schlaf fand, würde er sicher noch stundenlang wach liegen und über das nachdenken, was Nora alles zu ihm gesagt hatte.

Mit einemmal war es da, das strahlende Sommerwetter, kompromißlos, ohne verdächtige Wölkchen am Rande des Panoramas und ohne die verräterisch feuchte Luft, die die Berge so nah erscheinen läßt, daß man sich an ihnen zu stoßen meint. Pu bemerkte es als erster und sorgte für die möglichst rasche Verbreitung der guten Nachricht. Er zog Laja die Decke weg, und da lag sie nun mit nacktem Hintern und hochgerutschtem Nachthemd, noch immer schlafend, und Pu konnte ganz einfach nicht widerstehen und zwickte sie in die linke Popobacke.

»Pu!« schrie Laja mit einer solchen Anzahl von Obertönen, daß sie mit der Stimme umkippte. Und von dem Handgemenge, das folgte – Laja wollte natürlich ihre Decke wiederhaben –, wurden Fenek und Nora ohnehin wach.

»Fenek, hilf mir«, schrie Laja, als sie Fenek sich durch ihr Zimmer zum Klo hinpirschen sah. Der hatte aber noch keine Lust auf ein Gerangel.

»Schönes Wetter heute«, sagte er beschwichtigend, »alles raus aus der Höhle und Flossen anlegen.«

Da ließ Pu endlich die Decke los, und praktisch, wie er in manchen Dingen war, zog er gleich seine Schwimmhose an, das würde ihm eine Menge unnützer Handgriffe ersparen. Als er gerade aus dem Zimmer wischen wollte, traf ihn Lajas Kopfpolster mit solcher Wucht, daß er sich am Türrahmen eine Beule schlug. Verbittert wollte er sich sofort wieder auf Laja stürzen, als er Nora schreien hörte: »Ruhe da oben, es rieselt schon wieder.« Die Decke war nämlich aus Holz, und durch die Wärme des Ofens hatten sich eine Menge Risse in den Brettern gebildet, durch die Staub und Sand und anderes Füllmaterial durchrieselte und den Herd bedeckte, was dann beim Einheizen besonders widerlich stank.

»Na warte«, drohte Pu, »heut tauch ich dich bis auf den Grund, und wenn du ersaufst dabei.«

»Kicher, kicher«, spottete das Sumpfhuhn, »fragt sich nur, wer wen.«

Da rumpelte Pu schon die Treppe runter. »Na, Pu-Bär, wie wär's mit einem Mundvoll irgendwas?« Nora schien bester Laune zu sein. Sie gab ihm sogar einen Kuß auf seine Beule, ohne zu sagen, daß das eben davon käme, daß, oder sein haben müsse, weil.

Fenek war sogar schon losgeradelt, um Milch und Semmeln zu holen, und während Pu sich umständlich die Zähne putzte, kam auch Laja die Treppen heruntergepoltert. Sie mußte natürlich mit ihren Holzpantoffeln auf und ab gehen. Kaum hatten sie begonnen, draußen den Tisch fürs Frühstück zu decken, als Fenek auch schon wieder zurückkam. »Habt ihr einen Blasebalg für die Luftmatratzen, oder soll ich die Fahrradpumpe mitnehmen?« erkundigte er sich bei Nora, während er wie immer die Semmeln zu einer Pyramide schichtete.

»Blasebalg vorhanden«, sagte Nora seemännisch.

»Blasebalg kaputt«, brummte Pu mit eingezogenem Kopf.

»Wieso denn das?« fuhren alle drei auf ihn los.

»Darf einem denn gar nichts passieren?« empörte sich Pu.

»Also was ist los damit?« Nora schien noch immer gut gelaunt.

»Bei mir im Bett war eine Spinne, die war so groß …«

Pu zeigte mit seinen beiden Zeigefingern eine Länge von mindestens fünf Zentimetern an. Laja verdrehte verächtlich die Augen. »Und weil ich sie nicht angreifen wollte, habe ich den Blasebalg geholt, um sie fortzupusten. Und weil sie sich nicht gleich gerührt hat, hab ich ein bißchen an dem Ventil gezogen, und da war es plötzlich ab.«

»Und deswegen ist der Blasebalg kaputt?« Nora wollte es nicht glauben.

»Und dann«, sagte Pu, »habe ich mir gedacht, es ist ohnehin schon wurscht, und da hab ich den Ventilschlauch zum Fischen verwendet.«

»Zum Fischen?« Da wunderte sich sogar Fenek.

»Na ja, ich habe mir gedacht, der sieht fast genauso aus wie ein Wurm, nur daß er viel größer ist, und weil er so groß ist, wird sicher ein großer Fisch anbeißen.«

Nora lachte, Fenek bellte, und das Sumpfhuhn gackerte. Pu brummte unglücklich vor sich hin und erklärte sich dann bereit, die Fahrradpumpe zu tragen.

»O nein«, rief Fenek. »Dann montierst du da auch noch den Ventilschlauch ab und lockst damit Störche, weil der Ventilschlauch von meiner Fahrradpumpe so ein schönes Zackenmuster hat wie eine Kreuzotter.«

Das Zeug hing sich ganz schön in die Arme, Luftmatratzen, Badetücher, Schwimmflossen und Proviant. Sie schleppten und stöhnten, schwitzten und schimpften. Nur Fenek hatte es gut, der hatte sein Rad und war damit vorgefahren, um ihnen das Anstellen um die Eintrittskarten zu ersparen, wie er sagte, in Wirklichkeit aber, um zu verhindern, daß die anderen ihm all ihre Sachen aufluden und er das Rad dann womöglich hätte schieben müssen. Jetzt kam Pu die große Schirmkappe zustatten, die er an einem Regentag in der Bank geschenkt bekommen hatte, in der Nora jede Woche Geld holte. Laja hatte auch eine angeboten bekommen, sie aber abgelehnt, da sie fand, der große Schirm würde nicht zu ihrem Gesicht passen.

Jetzt beneidete sie Pu, und insgeheim spielte sie mit dem Gedanken, sie ihm einfach wegzunehmen, aber die Gelegenheit war ungünstig und Nora zu nahe.

Als sie endlich da waren, stand Fenek allein und gelangweilt vor dem Eingangstor und winkte mit den Karten, von einer Schlange war keine Rede.

Und da war auch schon jener unverkennbare Geruch nach gechlortem Wasser, sonnenwarmen Holzpritschen und den verschiedenen Ölen und Cremen, der ihnen allen gleichzeitig in die Nasen stieg und den sie schnupperten und auskosteten wie etwas lang Ersehntes, an dessen Eintreffen sie schon nicht mehr so recht geglaubt hatten.

Bei den Kästchen herrschte Geschlechtertrennung, und Pu und Fenek marschierten in die eine Richtung, Laja und Nora in die andere, nachdem sie noch ein Weilchen herumgestritten hatten, wo sie sich wieder treffen wollten.

Sie hatten sich einen schönen Platz auf der Liegewiese gesucht, halb unter dem Schatten eines Baumes, halb in der prallen Sonne, wo sie dann ihre Festung aus Luftmatratzen und aufblasbaren Gummitieren bauten. Zum Glück konnten sie alle schwimmen, das beruhigte Nora, und so groß war das Schwimmbad gar nicht, daß sie ernsthaft hätten verlorengehen können.

Nora wollte nicht gleich ins Wasser. Sie genoß es mit ihrem ganzen Wesen, sich ausgestreckt in die Sonne zu legen. Am liebsten hätte sie sich aus sich herausgefaltet, um sich überall von der Sonne bescheinen zu lassen. Und später, später würde sie dann langsam ins Wasser steigen und mehrmals vom einen Ende des Beckens bis ans andere schwimmen, so lange, bis sie ganz und gar abgekühlt war, um sich dann wieder der Sonne auszusetzen. Sie öffnete die Augen einen Spaltbreit unter der Sonnenbrille und schaute durch die Zweige des Baumes zu jenem faltenlosen, unverwaschenen Himmel auf, der so selbstverständlich blau war, als ging es gar nicht an, ihn sich verhangen vorzustellen.

Da war sie nun also, allein mit drei Kindern, die sie mehr oder weniger freiwillig zu sich genommen hatte, ohne Mann und ohne all die Freunde, die ihr ansonsten das Gefühl gaben, gar nicht so allein zu sein, wie es ihr manchmal vorkam.

Sie hatte eine Menge gearbeitet, trotz des vielen Regens und trotz der Kinder, die sich nicht gerade immer mit ihren Wünschen an die von ihr verkündete Arbeitszeit hielten. Oder vielleicht wegen des Regens und wegen der Kinder, die sie daran hinderten, sich über ihr Alleinleben Gedanken zu machen. Es wäre gelogen gewesen zu sagen, daß es ihr an nichts fehlte, andererseits empfand sie die Kinder als bessere Gesellschaft, als sie vermutet hatte. Und solange sie selbst guter Laune blieb, war auch mit den Kindern was anzufangen. Was sie noch immer verblüffte, war, wie rasch eine Stimmung umschlagen konnte, wie schnell die Kinder auf sie, aber auch untereinander reagierten, vor allem, wenn jemand wütend war. Wenn ihre Laune durchhing, konnte sie sicher sein, daß es in Kürze Krach mit den Kindern gab, auch wenn sie ihr das nicht wirklich übelnahmen. Sie war eben auch nur ein Mensch, und das wußte sie genau, und das wußten auch, über allen Zank und alles Geraunze hinaus, die Kinder. Insgesamt betrachtet, hätten diese Ferien viel schlimmer kommen können, und für Pu war es auch nicht so gut, mit ihr allein zu leben.

Dieser Tag stimmte sie auf eine Weise versöhnlich, daß sie sich sogar dazu verstieg, bereits an den nächsten Sommer zu denken und an die gleiche Besetzung, als sie sich beinah an der eigenen Spucke verschluckte. Diese Terrorgestalten Pu und Laja, die beiden feindschaftlich Unzertrennlichen, hatten Wasser in ihre Badehaube gefüllt und es ihr auf den Bauch geschüttet. »Na wartet«, sie schnaubte wie ein Feuerdrache, bereit, sie eigenhändig vom Fünfmetertrampolin zu werfen. Aber die beiden waren bereits in Deckung gegangen – nämlich möglichst nah an andere Leute heran – und bogen sich vor Lachen. Also dann würde sie eben ins Wasser gehen. Sie machte noch eine drohende Gebärde in Richtung Pu und Laja, nahm ihre Badehaube, ließ sie wieder fallen – was nützte sie, wenn sie naß war –, hob sie erneut auf – in die Becken durfte man ja nur mit Badehaube –, ging noch einmal zurück, um die Sonnenbrille abzulegen, und wurde von zwei nassen, eisigen Armen umschlungen, die Fenek gehörten.

»Uahhh«, machte Fenek in ihrem Rücken, aber Nora winkte nur mehr müde ab. Nicht einmal das bißchen Sonne gönnten sie ihr. Kinder, bösartig wie Affen, und ausgerechnet sie hatte mit denen etwas angefangen. Als sie dann im Wasser war, hatte sie alles vergessen, und als ihr Pu nachgehüpft kam, nahm sie ihn, wie seinerzeit als Baby, in die Arme und ließ zu, daß er sich von ihren Schultern abstieß und ins Wasser sprang. Und auch Laja, die dünne, zarte Laja mit den Sumpfhuhnbeinen, lag in ihren Armen und wollte Pu nicht mehr drankommen lassen. Eine Weile hielt sie dann beide, und Fenek kam von hinten und legte ihr die Arme um den Hals, was die zwei Kleinen zu verhindern suchten, indem sie ihn wie rabiat gewordene Enten anschnatterten.

Wasser entspannt. Das war es wohl, und als die Kinder sich wieder von ihr gelöst hatten und mit anderen Wasserball spielten, schwamm sie so lange im Becken auf und ab, bis sie vor Erschöpfung die Arme kaum mehr bewegen konnte. Wie einfach es manchmal war, glücklich zu sein. Sie stellte sich vor, wie Vater eins mit Sylvie in Amerika unterwegs war. Wie sie in einem gemieteten Auto von Stadt zu Stadt zogen, über endlose Highways, die Sonne durch die Windschutzscheibe sengend, und sie schüttelte sich. Wohlweislich dachte sie nicht an einen der vielen Swimming-Pools in Amerika, Gedanken solcher Art untersagte sie sich ganz einfach. Oder ihre Schwester, die nun die Sommeruniversität besuchte, tagsüber in den Vorlesungen war und nachts gewiß in Lokalen herumsaß, um anderntags einen schweren Kopf zu haben. Brrr.

Sie hatte ihn wirklich nicht wiedererkannt, zumindest nicht gleich. Den breitrandigen Strohhut auf dem Kopf und ein Handtuch um die leicht geröteten Schultern, saß Nora vor der Imbißstube, trank einen großen Mokka und schaute von Zeit zu Zeit zum Schwimmbecken hinüber, winkte den Kindern zu, wenn sie sie zwischen den vielen anderen bunten Badehaubenköpfen ausmachen konnte, und genoß es ansonsten, sich die Sonne auf Bauch und Beine scheinen zu lassen, während Gesicht und Schultern im Halbschatten blieben. Das waren die berühmten Tage, an die man zurückdachte, wenn man von Ferien sprach. Und obwohl es in jedem Sommer meist nur ein paar gab, die in solcher Makellosigkeit der Sommervorstellung entsprachen, waren doch sie es, die hinter diesem Wort standen und ihm diesen herrlichen sonnenschweren Klang gaben.

Zuerst hatte er sie nur von der Seite angesehen, dann hatte er sich ihr gegenüber hingesetzt, und als sie sein Starren bereits zu stören begann, fing er auch noch, seiner Sache sicher, zu lächeln an. Als er dann den Mund aufmachte, dämmerte ihr etwas, und nachdem er seinen und ihren Namen gesagt hatte, war ihr langsam alles klargeworden. Das war ja der Lajosch Molnar, der mit ihr in die Schule gegangen war. Seine Eltern hatten 1956 Ungarn verlassen, und als er in die Klasse kam, konnte er kaum ein Wort Deutsch. Jetzt sprach er ohne den geringsten Akzent und hatte, wie er sagte, sein Ungarisch beinah vergessen, was sicher nicht stimmte, aber der Lajosch hatte immer ein bißchen über- oder untertrieben.

»Mein Gott«, sagte Nora, »daß ich dich je wiedersehe!«

»Warum denn nicht?« meinte Lajosch, und dann behauptete er, er habe sie sofort erkannt, schon im Schwimmbecken, sie habe sich überhaupt nicht verändert und sehe viel jünger und schlanker aus als er. Nora lachte, und Lajosch zeigte ihr seinen *fetten* Bauch, der nur aus einer einzigen Speckfalte, noch dazu einer kleinen, bestand, die sich über dem Badehosenbund bildete, wenn er sich nach vorn beugte, und seine grauen Haare, die er nun wirklich hatte, aber deswegen sah sein Gesicht auch nicht älter aus.

Und natürlich begannen sie einander zu erzählen, was sie die ganzen Jahre über so gemacht und wie sie gelebt hatten. Lajosch war Feinmechaniker geworden und arbeitete in einer Firma für optische Geräte, in der er Mikroskope zusammenbaute. »Ich hätte gerne studiert«, sagte er, »aber du weißt ja, meine Eltern hatten damals mit allem ganz von vorne anfangen müssen, und dann wurde meine Mutter auch noch krank, da mußte ich Geld verdienen.«

»Aber du bist doch nicht unglücklich mit deinem Beruf?« fragte Nora besorgt.

»Aber nein«, Lajosch zündete sich eine Zigarette an. »Ich bin sozusagen eine *gefragte Kraft*, und das Hirn bleibt frei für meine Hobbies.«

»Hobbies?« Nora schaute ihn unsicher an. Bei Lajosch wußte man schon früher nie, ob er nicht gerade eine völlig harmlos wirkende Falle auslegte, um dann schallend über einen zu lachen, wenn man hereingefallen war.

»Machst du Jagd auf Einhörner? Oder sammelst du Bilder von sämtlichen Postkutschentypen, die im siebzehnten Jahrhundert zwischen Wien und Petersburg hin- und herfuhren?«

Lajosch schüttelte mit gespieltem Ernst den Kopf. »Rat weiter.«

»Züchtest du Engelshaar aus Muttergottestränen, schlägst du Schlachten mit Zinnsoldaten, oder gehst du Wochenende für Wochenende zu den Ausscheidungskämpfen im Wirtshaustischstemmen?«

Lajosch lachte. »Du errätst es nie. Was soll ich dir Großartiges sagen, im Winter fahre ich Schi, im Sommer geh ich schwimmen, wenn es sein muß, lese ich ein Buch, und ansonsten sammle ich alte Uhren, Schnecken und freundliche Gesichter.«

»Kein Wunder, daß du allein lebst«, sagte Nora, »bei dem Aufwand.«

»Man muß das Leben genießen, solange die Haare noch nicht weiß sind.« Lajosch zeigte demonstrativ auf sein ergrauendes Haar, »und solange man noch eine *gefragte Kraft* ist. Im übrigen sehe ich mich als Halbnomaden, ich teile mein Zelt gern mit Vorübergehenden.«

»So einer bist du also.« Nora lachte herzlich und mit dem guten Grund derer, die davon nicht betroffen sind.

Mit einemmal waren sie neben ihr, alle drei, und für einen Augenblick mußte Nora an eine jener Delegationen denken, die ausgeschickt werden, um eine neue Situation zu erkunden. Pu legte ihr die Hand aufs Knie, bevor er zu reden begann, und Laja musterte Lajosch unverhohlen und nicht gerade freundlich. Fenek aber beugte sich zu Pu und flüsterte laut, so daß es jeder hören mußte: »Frag *die Mama*, ob wir ein Eis haben dürfen.« Es dauerte eine Sekunde, bis Nora begriff, was er mit »die Mama« meinte. Daß er sich nicht dazu überwand, selbst Mama zu ihr zu sagen, war nur verständlich, wie er ihr nun aber geschickt die allgemeine Mutterschaft zuspielte, das verblüffte sie, vor allem wenn sie überlegte, was es zu bedeuten hatte.

»Gehören alle drei dir?« fragte Lajosch, und sein joviales Lachen konnte nicht ganz über sein Befremden hinwegtäuschen.

»Sozusagen«, Nora lachte müde und sah gerade noch, wie Fenek Pu anstieß, als der zu einem Protestgeschrei ansetzte.

»Mama«, sagte Laja in diesem Augenblick mit unverschämter Selbstverständlichkeit, »uns ist so heiß, können wir ein Eis haben?«

Klingt nach Verschwörung, dachte Nora, sie scheinen das Schlimmste zu befürchten. Einfach lächerlich, jetzt sitze ich noch keine halbe Stunde da mit Lajosch, und schon läuft eine Aktion an.

»Aber natürlich«, sagte Lajosch, und bevor Nora sich noch einschalten konnte, hatte Lajosch Geld aus seiner Tasche geholt. Nora rührte sich nicht, so gespannt war sie, wie die Kinder reagieren würden.

Laja und Fenek sahen einander betroffen an und zögerten, da griff Pu nach dem Geld und sagte: »Danke, das ist sehr nett von Ihnen!« Und dabei strahlte er Lajosch an, mit dem bewußten Geschenksblick, der alle immer so rührte, während Pu sicher schon damit beschäftigt war zu überlegen, wie die zwanzig Schilling in drei gleiche Teile zu teilen waren, ohne daß ein Gezeter anhob. Sie hatte ihn richtig eingeschätzt, denn er wandte sich gleich darauf ihr zu und sagte, als würde er laut mit sich selber sprechen: »Also wie oft geht drei in zwanzig?« Dann nahm er pro forma seine Finger zu Hilfe. »Drei mal sechs ist achtzehn«, sagte er, »bleibt zwei. Na, ich eß halt ein Cremissimo, dann können der Fenek und die Laja wenigstens einen Paiper haben.«

Nora griff in die Tasche und gab Pu noch vier Schilling dazu. »Damit du dich leichter tust, beim Rechnen.«

Und bevor die Kinder gingen, sagte sie noch: »Übrigens, das ist Lajosch Molnar, mit dem ich vor vielen, vielen Jahren in die Schule gegangen bin.«

»Ach so«, sagte Laja erleichtert, »wir dachten schon, irgendein Fremder hätte dich einfach angequatscht.« Fenek räusperte sich, sagte aber nichts, so als wäre er sich klar darüber, daß das gar nichts zur Sache tat, ob man jemanden von früher her kannte oder nicht. Entscheidend war, wieviel Zeit er einen kostete.

Sie blickte den Kindern nach, wie sie zum Eisstand hinübertrabten, abgelenkt von dem Geld in Händen und doch besorgt, daß sich die Verhältnisse, mit denen sie gerade irgendwie zurechtgekommen waren, wieder ändern könnten. Daß sie überhaupt solche Erwägungen anstellen, durchfuhr es Nora, was nur in ihnen vorgehen mag? Sie glaubte, Pu abschätzen zu können, aber Laja und Fenek?

»Da bist du aber versorgt«, sagte Lajosch, »drei Stück dieser Art sind bestimmt kein *Kinderspiel*. Sind das denn wirklich alles deine?«

»Im Augenblick schon«, erwiderte Nora. »Geboren habe ich nur den Kleinen, aber die anderen gehören auch zur Familie.«

»Du hast dich also für eine gewisse Zeit geopfert? Das sieht dir ähnlich.«

Wie das klingt, dachte Nora, »sich opfern«. Langsam begann sie an all diesen Formulierungen zu verzweifeln. Kein Wunder, daß die Kinder hellwach waren, wenn im Zusammenhang mit ihnen ständig von »sich opfern« die Rede war. Sie schaute auf. Was wußte dieser Lajosch schon davon? »Ach was«, sagte sie, »das ist viel weniger anstrengend, als einen anspruchsvollen Mann zu betreuen.«

Lajosch lachte. »Na hör mal, du tust, als hätte ein Mann dir gar nichts zu bieten.«

Auch das wieder so ein Wort, jemandem etwas »bieten«. Sie fürchtete, es würde so lange keinen Ausweg geben, solange sie sich alle noch mit solchen Sätzen gegenüberstanden und mit solchen Wörtern herumstritten.

»*Bieten*?« sagte sie zu Lajosch. »Mir braucht niemand etwas zu *bieten*, er soll mir Spaß machen!« Was die ganze Sache zwar bei weitem nicht erschöpfend beschrieb, aber es war wenigstens ein anderer Blickwinkel.

Lajosch verbeugte sich. »Ich werde mein Bestes geben.«

Nora stand auf. »Ich geh jetzt ins Wasser, kommst du auch? Wir haben dort hinten unsren Liegeplatz, ich muß nur meine Badehaube holen.«

»Ich laß dich schon nicht aus den Augen.« Lajosch formte mit den Händen ein Fernglas. »Wo ich dich nach so vielen Jahren wiedergefunden habe, kann ich es mir gar nicht leisten, dich von neuem entwischen zu lassen.«

Später lagen sie dann unter dem Baum, mit dem halben Körper in der Sonne. Lajosch hatte seine Decke mitgebracht und sich mit den Kindern unterhalten. Er war nur übers Wochenende gekommen, die Woche über mußte er arbeiten. Um diese Zeit hatten die Familienväter Vorrang, wegen der Schulferien. Aber das mache ihm gar nichts, im Juni oder im September sei das Wetter ohnehin stabiler, und es seien auch nirgends so viele Leute.

»Weißt du«, sagte Lajosch, als die Kinder sich wieder getrollt hatten, »ich habe oft in all den Jahren an dich denken müssen.«

Nora vermied es, ihn anzusehen. »Jetzt übertreib bloß nicht. Warum hättest du denn ausgerechnet an mich denken müssen?«

»Du hast mir damals schon gefallen.« Er fuhr leicht mit der Hand über ihren Arm, was nicht unangenehm war.

»Ha, ha«, machte Nora, »und als ich dir im Tanzkurs einmal auf die Zehen gestiegen bin, hast du laut aufgejault und mich dem Gespött der ganzen Klasse preisgegeben.«

»Daran erinnerst du dich noch?« Lajosch lachte ungläubig. »Dabei habe ich dich sozusagen verehrt.«

»Davon habe ich nichts bemerkt.«

»Weil ich zu feig war. Du bist mir immer so unnahbar vorgekommen. Unnahbar, aber trotzdem irgendwie nett. Und weißt du noch, wie du mir einmal während einer Deutsch-Schularbeit die Rechtschreibfehler ausgebessert hast? Wir hatten einfach die Hefte und die Federn getauscht, und du hast versucht, meine Schrift nachzumachen.«

Nora konnte sich nicht mehr daran erinnern. »Und«, sagte sie, »ist jemand draufgekommen?«

Lajosch schüttelte den Kopf. »Zum Glück hast du ein paar von meinen Fehlern übersehen, vielleicht sogar absichtlich, damit meine plötzliche Vertrautheit mit der deutschen Sprache nicht gar zu verdächtig war. Und so konnte die Hudinetz an meine zeitweisen Eingebungen glauben. Lesen, lesen, Molnar, hat sie immer gesagt, das ist deine einzige Chance. Und: Siehst du, deine Lesefrüchte kommen dir schon zugute, auch wenn du noch so manchen falschen Ansatz hast, im letzten Moment kommt dir das richtige Schriftbild zu Bewußtsein, und du besinnst dich doch eines Guten. Damit meinte sie deine Verbesserungen.«

»Die alte Hudinetz«, Nora schaute durch Lajosch hindurch in ihre gemeinsame Schulvergangenheit, »eigentlich habe ich sie gern gehabt. Immer hat sie uns von Büchern vorgeschwärmt, die sie gerade gelesen hat, und sie war so unglücklich, wenn sich herausstellte, daß wir sie trotz ihrer wärmsten Empfehlung wieder nicht gelesen hatten. Dabei durften wir uns sogar von ihr privat die Bücher ausborgen, ich glaube, so ist sie um einen Teil ihrer Bibliothek gekommen.«

Lajosch lag auf dem Rücken und sonnte sich. Zwischen den

Fingern hatte er einen Grashalm und kitzelte damit Nora, und die schien nichts dagegen zu haben. Sie sah Fenek, wie er mit zwei anderen Buben in seinem Alter einem Ball nachlief und dabei über andere Badegäste, die sich sonnten, einfach drübersprang, was auf die Dauer nicht gutgehen konnte, aber das mußte er schon selber regeln. Pu und Laja waren noch immer im Wasser, und irgendwann würde sie sie mit aller Gewalt herausziehen müssen, bevor sie sich auflösten, aber auch das war nicht so dringlich. Sie fühlte sich wohl da, so in der Sonne und neben Lajosch, und alles andere würde sich schon finden.

Es war Lajosch gewesen, der sie am Abend mit seinem Auto nach Hause gefahren hatte, worüber besonders Pu sehr glücklich war. Erstens fuhr er gerne Auto, und zweitens war er sehr, sehr müde. Sie hatten dann Lajosch noch zu einem kleinen Abendessen eingeladen, und Pu hatte sich neben ihn gesetzt und versucht, ihn zu einer Partie Othello zu überreden, aber schließlich wurde dann doch nichts draus, und Pu schlief auf der Sitzbank ein, wodurch er sich wieder einmal das Waschen und Zähneputzen ersparte. Fenek kam erst viel später, denn er hatte noch mit seinen neuen Freunden herumstehen müssen. Und Laja atmete erleichtert auf, als Lajosch sagte, er müsse nun fahren, er sei im Nachbarort untergebracht und habe dort einem alten Bekannten versprochen, noch vorbeizuschauen. Morgen würden sie sich ja wieder im Schwimmbad sehen, und nächstes Wochenende komme er auch, wenn es nicht wider alle Erwartungen einen Schneesturm gebe.

»Einen Schneesturm?« fragte Laja perplex. »Ich glaube, Sie spinnen.«

»Laja«, Nora legte den Arm um sie, während sie schon an der Haustür standen. Lajosch lachte und sagte: »Natürlich spinne ich, das gehört einfach zu mir dazu.«

»Laja«, sagte Nora noch einmal, »verstehst du denn keinen Spaß?«

»Ach so«, sagte Laja, »klar.« Aber als Lajosch ins Auto gestiegen war, meinte sie: »So witzig finde ich das gar nicht, aber dir gefällt wohl alles, was er macht.«

Und erst als alle im Bett waren, hatte Nora sich wieder dem angenehmen Gefühl überlassen können, jemanden nach so vielen Jahren wiedergefunden zu haben, ohne daß sie von seiner Veränderung enttäuscht gewesen wäre.

Lajosch war schon längst wieder in der Stadt, und auch das Wetter wich um beträchtliches von der Idealvorstellung ab. Am Morgen liefen sie ständig ans Fenster oder vor die Tür, um an der Wolkenformation ablesen zu können, ob sie die Schwimmsachen einpacken oder doch lieber nur wandern gehen sollten. Einmal sah es nach Regen aus, dann brannte die Sonne wieder, als sei die Welt ein einziges Brennglas. Pu lief trotzdem die ganze Zeit in der Badehose herum, als könne er damit das Wetter beschwören, sich zu fügen. Fenek war am wenigsten davon betroffen, ihm ging es nur darum, seine Freunde zu treffen, denen fiel schon etwas ein, ob sie nun im Schwimmbad waren oder in den Wald gingen. Pu und Laja hatten zwar oft genug Streit mit ihm, aber das paßte ihnen gar nicht, daß er sich einfach davonmachte.

»Du hast doch gesagt, wir sehen aus wie eine Familie, also sind wir eine Familie«, fuhr Laja ihn einmal an.

»Na und«, sagte Fenek, »deswegen kann man sich doch mit Freunden treffen. Ihr könnt euch ja auch die Julie rüberholen.«

»Ach die, die ist doch noch so klein«, sagte Laja verächtlich.

»Na, so viel kleiner als ihr beide ist sie auch nicht«, rief Fenek, sprang auf sein Rad und fuhr zum Bauernhof hinüber, um den Edi abzuholen, dessen Narbe schon fast verheilt war.

Es gab Zeiten, da spielten Pu und Laja hingebungsvoll miteinander und behielten die einmal übernommenen Rollen stundenlang bei, und wenn Nora sie unabsichtlich oder absichtlich belauschte, war sie berührt und betroffen von ihren Gesprächen und fragte sich, wo sie das alles her hatten.

»Weißt du«, sagte Pu zu Laja, als Nora sich gerade frisches Papier holen wollte, »wir spielen ›Ich habe einen Unfall gehabt und liege im Spital‹.« Er ließ seinen Arm von der Sitzbank hängen und stöhnte. »Und du bist meine Frau und kommst mich besuchen. Und da sage ich zu dir, du kannst dir ruhig einen anderen Mann nehmen, ich bin ja viel zu krank«, und dabei stöhnte und ächzte er wieder zum Gotterbarmen.

»Und wo soll ich einen anderen hernehmen?« fragte Laja vorwurfsvoll.

»Na gut«, Pu schlenkerte seinen »mehrfach gebrochenen« Arm, »dann mußt du halt ins Spital kommen und mich pflegen.«

Laja packte ihre Sachen zusammen und erklärte dem imaginären Pförtner des Krankenhauses, sie müsse ihren Mann pflegen, weil sie nicht wisse, wo sie sonst einen hernehmen solle.

»Du mußt mir immer ganz besonders gute Sachen kochen, sonst werde ich nicht gesund. Los, frag mich, was ich zu essen haben will.«

»Wenn du kommandierst, kannst du dir dein Essen selber kochen«, murrte Laja, und für einen Augenblick sah es so aus, als würde sie aus der Rolle fallen.

»Ich kommandier ja nicht wirklich«, lenkte Pu ein, »wir spielen doch nur, daß ich so krank bin. Und wenn du willst, daß ich wieder gesund werde, dann mußt du mich fragen, was ich essen möchte, nämlich so: Ach, mein lieber Mann, worauf hast du denn einen Gusto?«

»Ach, mein lieber Mann, worauf hast du denn einen Gusto?« flötete Laja.

»Auf nichts«, stöhnte Pu, »auf einen Schmarrn.«

»Auf einen Schmarrn, mein Lieber? Soll es ein Grießschmarrn, ein Erdäpfelschmarrn oder ein Kaiserschmarrn sein?«

»Ein Kaiser ...«, murmelte Pu mit ersterbender Stimme.

»Mit oder ohne Rosinen?«

»Mit ...«, ächzte Pu. Plötzlich richtete er sich auf. »Und mit unheimlich viel Zwetschkenröster«, sagte er mit normaler Stimme, »daß du das ja nicht vergißt, du alte Geiß.«

»Hinlegen!« schrie Laja, »was bildest du dir überhaupt ein? Ich denk gar nicht dran, dir einen Schmarrn zu machen, einen Schmarrn schon, aber einen Nixerlschmarrn.«

»Ja, ja«, Pu stöhnte wieder, »ich bin so krank, ich kann mich gar nicht bewegen ...« Er setzte sich neuerdings auf. »Weißt du was, jetzt spielen wir, daß du krank bist, und ich bin der Doktor.«

Da holte sich Nora das Papier, und die Kinder unterbrachen ihr Spiel, solange sie im Haus war.

Nora hatte das Wörterbuch aufgeschlagen und suchte nach Bedeutungen, die ihr nicht einfallen wollten. Pu und Laja waren nur zu hören, wenn sie ganz laut schrien, was von Zeit zu Zeit geschah. Manchmal jagten sie sich auch gegenseitig ums Haus herum; zu ihr zu kommen wagten sie aber nur in Fällen höchster Dringlichkeit. Sie hatte ihnen klarmachen können, daß diese paar Stunden Arbeit am Nachmittag überlebensnotwendig waren. Nur wenn sie ihre Arbeitszeit regelmäßig einhielt, konnte sie sich um Büroarbeit mit Anwesenheitspflicht herumdrücken. Und das hatten sie nun auch alle eingesehen, denn Büro würde heißen, daß sie in der Stadt bleiben mußten und nur für höchstens zwei Wochen irgendwohin fahren konnten. Pu versuchte natürlich am häufigsten, diese »eisernen Regeln« zu durchbrechen. Er, als Sohn eins und einziger von Nora, fühlte sich sicher genug, um sich von Zeit zu Zeit gegen die absoluten Notwendigkeiten aufzulehnen, indem er ganz plötzlich etwas von Nora wollte, sei es, daß sie mit ihnen irgendwohin sollte, sei es, daß er einen Wunsch hatte, den er ihr auseinandersetzen wollte. Da konnte es dann vorkommen, daß Laja oder Fenek ihn zurückzuhalten versuchten.

»Hör auf«, sagten sie, »du weißt doch, was auf dem Spiel steht.« Pu war davon nicht leicht zu beeindrucken, aber sie konnten ihn meist doch zur Vernunft bringen.

Nora versuchte in demselben Tempo weiterzuarbeiten wie bisher, aber es ging nicht so recht. Immer wieder kamen ihr Gedanken an Lajosch dazwischen. Sie sah ihn schon mit ihnen allen Ausflüge machen oder »Mensch ärgere dich nicht« spielen. Und wenn er auch nur zu den Wochenenden kam, so würde es trotzdem sehr schön sein, ihn dazuhaben, und sie war sicher, daß die Kinder sich bald über sein Kommen freuen würden, auch wenn es nicht gleich beim ersten Mal so war. Daran, daß Lajosch sich über die Kinder nicht so sehr freuen könnte, verschwendete sie keinen Gedanken. Mein Gott, sie verlangte ja nicht viel, ein bißchen Gesellschaft, die ihr lieb war, eine Art Abwechslung, ein wenig Spannung, und daß sie miteinander umgehen konnten. Alles andere würde sich ergeben, oder auch nicht, daran wollte sie noch gar nicht denken.

Nora war gerade dabei, sich in der Halbzeit wie üblich ihre Tasse Kaffee zu machen. Es war sehr still im Haus, sie nahm an, daß die Kinder zum Bauernhof hinübergegangen waren, zumindest hatte sie Pu in diese Richtung gehen sehen, neuerdings vertrugen er und Laja sich ganz gut mit der Julie, vor allem wenn das Fernsehprogramm interessant war.

Zuerst dachte sie, das Geräusch komme von draußen, aber als das Schluchzen von neuem anfing, war sie sicher, daß es von einer der Mansarden ausging. Sie deckte die volle Kaffeetasse mit dem Untersatz ab, damit nicht wieder etwas hineinrieselte, wenn sie oben ging, und turnte die Hühnerleiter hinauf.

Es war Laja, die auf ihrem Bett lag und weinte, und sie weinte so bitterlich, daß es Nora beinah das Herz brach. Vorsichtig setzte sie sich an den Rand des Bettes, Laja hatte sie womöglich gar nicht kommen gehört. »Laja-Mädchen«, sagte sie sanft und begann Laja zu streicheln. Da setzte sich Laja auf, und bevor Nora noch wußte, wie ihr geschah, hatte Laja ihren Kopf in Noras Schoß fallen lassen. »Was ist denn los?« fragte Nora. »Was hast du denn, daß du so furchtbar weinen mußt?«

Laja schüttelte nur eine Weile den Kopf und griff dann nach einem Taschentuch. Erst als sie sich umständlich geschneuzt und ein paarmal geschluckt hatte, sagte sie: »Der Fenek hat heute einen Brief von seiner Mutter aus Australien bekommen. Stell dir das vor, die schreibt sogar aus Australien, und meine Mutter? Meine Mutter sitzt in Wien und schreibt mir nicht, dabei ist das viel näher, und kosten tut es auch nicht soviel.«

»Laja-Mädchen«, sagte Nora noch einmal, und beinah hätte sie lachen müssen. »Das hat doch nichts mit der Entfernung zu tun, und wenn, dann höchstens umgekehrt. Gerade weil deine Mutter nicht so weit weg ist und weil wir jede Woche einmal mit ihr telefonieren können, schreibt sie nicht.«

»Und warum schreibt sie in Wirklichkeit nicht? Weil sie mich vergessen hat.«

»Ihr telefoniert doch miteinander.«

»Ja, wenn wir sie von der Post aus anrufen, dann kann sie ja gar nicht anders, als an mich denken, da rede ich ja mit ihr. Aber sie?«

Nora bettete Laja wie ein Baby in ihre Arme. »Laja, Laja«, sagte sie, »immer die alte Leier. Und das weißt du auch. Ich kenne deine Mutter gut genug, um zu schätzen, wie sehr sie an dich denkt. Aber weißt du, sie ist jetzt allein, und das ist nicht gut für sie. Also sucht sie sich Gesellschaft, und an der Universität hat sie sicher genug zu tun.«

»Aber sie hat doch mich. Was braucht sie denn Gesellschaft, wenn sie mich hat?«

»Und wo bist du? Du bist hier bei uns und hast uns zur Gesellschaft. Und ich kann mir denken, daß es dir keinen besonderen Spaß machen würde, jetzt in der Stadt zu sitzen und den ganzen Tag darauf zu warten, daß deine Mutter mit ihren Kursen fertig ist.«

Laja schluchzte. »Aber sie ist meine Mutter, sie gehört mir, und ich will, daß sie mir Briefe schreibt.«

»Wie alt bist du jetzt?« fragte Nora in gespielter Unwissenheit.

»Fast schon acht. Am fünften September werde ich acht.«

»Jetzt denk einmal zehn Jahre weiter. Ich weiß, daß dir das kaum gelingen wird, aber versuch es einmal.«

»Warum soll mir das nicht gelingen? Da bin ich achtzehn und kann machen, was ich will.«

»Siehst du!«

»Was soll ich da sehen?«

»Und jetzt stell dir vor, du bist achtzehn, und deine Mutter sagt: Was braucht Laja Gesellschaft, sie hat doch mich? Ich habe auf alle Gesellschaft verzichtet, als sie ein Kind war, dafür ist sie jetzt meine Gesellschaft. Sie ist mein Kind, und ich will, daß sie dauernd an mich denkt. Würde dir das dann gefallen?«

Laja schluchzte leise und sagte nichts.

»Ich weiß«, fuhr Nora fort sie zu streicheln, »daß man nicht immer zehn Jahre vorausdenken kann, aber vielleicht gelingt es dir doch, dich darüber zu freuen, daß deine Mutter ein bißchen Unterhaltung hat. Und weißt du«, Nora flüsterte, »das Geheimnis ist, daß Erwachsene viel netter zu ihren Kindern sind, wenn sie auch sonst ein bißchen Spaß haben. Und was ich so gehört und gesehen habe in der letzten Zeit, könnte deiner Mutter ein bißchen bessere Laune nur guttun.«

Laja verzog den Mund zu einem mißglückten Grinsen. »Aber«, sagte sie, »schreiben könnte sie mir trotzdem.«

Nora überlegte. »Vielleicht ist sie nur einfach nicht auf die Idee gekommen. Weißt du was, warum schreibst du ihr nicht? Dann wird sie dir sicher antworten, und dann bekommst du auch Briefe. Manchmal muß man einfach nachhelfen.« Nora räusperte sich. »Meine kleine Schwester hat schon öfter einmal etwas nicht begriffen.«

Laja machte es sich bequem in Noras Arm. »Glaubst du …« Sie zögerte. Aber als Nora sie mit einem Blick ermutigte, fing sie noch einmal an. »Glaubst du, hat meine Mutter einen neuen Scheich?«

Nora ließ die Arme sinken, und Laja mußte sich an ihrem Hals festhalten.

»Wo hast du denn das her?« Nora klang einigermaßen entgeistert.

»Fenek sagt, daß das immer so weitergeht, und ich hab einfach Angst, daß mir der Typ nicht gefällt und daß sie dann gegen mich zusammenhalten.«

Nora überlegte. »Also bis jetzt weiß ich von gar nichts. Und wenn schon, selbst wenn deine Mutter wieder einmal einen Freund haben sollte, brauchst du deswegen nicht in Panik zu geraten. Wart es ab. Fang nicht zu ätzen an, bevor du einen Grund hast. Deine Mutter wird dich nicht im Stich lassen. Und außerdem …« – Nora wollte nicht sentimental werden – »… und außerdem hast du ja auch uns. Also könntest du ihr auch einen neuen Freund gönnen, er wird kein Unmensch sein. Und über kurz oder lang wirst du auch einen Freund haben. Insofern hat Fenek recht, daß es immer so weitergeht. Und wenn du mich fragst, so finde ich das schön. Ein alter Freund ist wunderbar, aber es ist auch herrlich, einen neuen zu gewinnen.«

Laja sah Nora nachdenklich in die Augen. »Sagst du das jetzt wegen Lajosch?«

Nora stutzte. »Wieso wegen Lajosch?«

»Na, damit wir nicht glauben sollen, daß sich wegen ihm etwas ändert, ich meine, für uns alle?«

Nora blies Laja eine Haarsträhne aus der Stirn. »Weil ich einmal mit Lajosch aus war? Am Sonntagabend, bevor er wieder weggefahren ist? Laja, das ist lächerlich. Ihr wart so müde, daß ihr alle ins Bett gefallen seid, sogar Fenek. Und hat Lajosch nicht mit euch Wasserball gespielt und euch Geschichten erzählt? Und haben wir nicht alle einen wirklich schönen Tag gehabt?«

Laja nickschluchzte. »Das schon, aber wenn ihr auch einmal anfangt euch zu streiten, was ist dann?«

Daran hatte Nora natürlich nicht gedacht, so sehr nicht gedacht, daß sie im Augenblick gar nicht wußte, was sie sagen sollte.

»So fängt es immer an, sagt Fenek. Und sogar Pu kann sich noch daran erinnern, daß du und sein Vater miteinander böse wart. Und wenn ich dir sagen würde, was meine Mutter und mein Vater gemacht haben ... Die stritten nicht, die haben einfach tagelang nicht miteinander geredet, was noch schlimmer ist, das kannst du mir glauben.«

»Ihr streitet doch auch oder redet manchmal nicht miteinander, ich meine, du und Pu und Fenek. Deswegen ist doch noch lange nicht alles kaputt«, wandte Nora noch immer verdutzt ein.

»Das ist was anderes. Außerdem sind wir Kinder nicht miteinander verheiratet«, Laja verzog verächtlich den Mund, »nicht einmal ein Liebespaar sind wir.«

»Ich hab den Lajosch ganz gern«, sagte Nora, »und außerdem bin ich nun einmal erwachsen. Und Erwachsene brauchen auch andere Erwachsene, so wie ihr Kinder andere Kinder braucht, ich laufe euch deswegen doch nicht davon.«

»Wenn aber der Lajosch möchte, daß du mit ihm allein irgendwohin fährst? Und ihr dann doch streitet, wenn du das nicht tust?«

Nora lächelte. »Du kannst mich ja warnen, wenn du das Gefühl hast, daß wir uns bald streiten werden. Und ansonsten möchte ich sagen: Warten wir's ab. Einverstanden?«

»Weißt du«, Laja hatte sich aufgesetzt und schaute Nora ins Gesicht, »Pu wäre sicher sehr traurig, wenn du mit dem Lajosch allein wohin fahren würdest. Und wenn du dann wieder zurückkommst, ist er sicher schlimmer, als er jetzt schon ist.«

»Hat Pu das gesagt?«

»Nein. Aber ich weiß, daß das so ist. Zuerst ist man traurig, dann ist man wütend, und dann muß man das alles irgendwie auslassen.«

»Also doch eine Art Erpressung, na wartet.« Nora versuchte zu lachen, dann fuhr sie fort: »Ich glaube, ihr könnt euch auf mich verlassen. Ich meine insgesamt. Daß ich mir hin und wieder einmal ein paar ruhige Tage machen möchte, ist nicht ausgeschlossen. Aber im großen und ganzen könnt ihr euch doch auf mich verlassen, oder? Denn, du wirst lachen, es macht mir Spaß, mit euch zusammenzusein, wenn ich euch auch zwischendurch wie den Froschkönig an die Wand werfen könnte, hoffend, daß ihr nicht als die Kröten, die ihr seid, zurück auf den Boden fallt. Manchmal seid ihr dafür wieder so nett, daß ich euch abküssen möchte«, und sie küßte Laja tatsächlich auf beide Wangen. »Ich glaube, es ist uns gelungen, uns irgendwie miteinander zu befreunden, und ich hoffe, daß wir auch später miteinander befreundet sind, ich meine, wenn ihr auf mich nicht mehr angewiesen seid. Ach, heute kommt Laja, werde ich dann sagen und mir meine grauen Haare hochstecken. Ich bin neugierig, was für einen Freund sie mir diesmal anschleppt. Hoffentlich hat er ein bißchen Geduld mit mir und läßt mich ausführlich mit ihr plaudern. Es könnte ja auch sein, daß er ein fürchterlicher Egoist ist und Laja immer nur für sich haben möchte. Aber ich bin schließlich mit Laja befreundet, und wir haben uns eine Menge zu erzählen. Oder, und auch das sehe ich kommen, du rufst mich ganz aufgeregt an: Nora? Stell dir vor, ich habe für heute abend Konzertkarten. Wir würden so gerne gehen, aber ich weiß nicht, was ich mit dem Baby machen soll. Ich kann es doch nicht alleinlassen. Das kannst du nicht, werde ich sagen, aber du hast ein Riesenglück, ich habe nämlich keine Konzertkarten für heute abend, und wenn du willst, komme ich zu deinem Baby. Ich meine natürlich, wenn deine Mutter keine Zeit hat. Das ist es ja eben, wirst du sagen, die ist bei einer Konferenz und kann nicht sagen, wann sie Schluß hat.«

»Und wenn ich gar kein Baby hab?« fragte Laja pfiffig.

»Dann läuft es eben so.« Nora tat so, als hielte sie einen Telefonhörer in der Hand, und spielte Laja. »Nora? Weißt du, ich bin vollkommen fertig. Jetzt habe ich zwei Prüfungen hintereinander gemacht, und glaubst du, ich bin imstande, mich zu freuen? Und Paul, dieser blöde Kerl, hat ausgerechnet jetzt zum Studium nach England fahren müssen. Ich bin total geschafft. Mir ist elend und langweilig, und wenn nicht irgend etwas geschieht, springe ich aus dem Fenster … Und ich werde sagen: Moment, das könnten deine Knochen dir übelnehmen, aber ich habe gerade ein Buch zu Ende übersetzt, einen scheußlichen Schmöker, und mir ist genauso zumute. Wollen wir unser beider Langeweile nicht zusammenlegen? Wie wär's mit einem flotten Restaurant, und wenn du Lust hast, gehen wir danach ins Kino …«

Laja grinste. »Willst du mir nicht sagen, wer dieser Paul sein soll?«

»Nein. Und vielleicht heißt er gar nicht Paul, sondern Robert oder Karl oder Dingsda. Ich bin doch keine Hellseherin.«

In diesem Augenblick hörten sie Pu »Mama« rufen, und ihnen war klar, daß es sich um etwas ungemein Wichtiges handeln müsse, wenn Pu vergaß, Nora Nora zu nennen.

Nora seufzte. »Ihr seid ausgesprochen anstrengend. Kaum hörst du auf zu heulen, kann ich mich schon auf den nächsten Fall einstellen.«

Sie schauten beide zum Mansardenfenster hinunter und sahen Pu mit etwas im Arm aufs Haus zu stapfen. Dieses Etwas gab auch Laute von sich, und Nora war, als habe sie das schon die ganze Zeit über kommen sehen. Natürlich, klar. Nur, warum hat sie nicht schon von Haus aus etwas gesagt und die Möglichkeit ein für alle Male ausgeschlossen. Bedächtigen Schrittes, um die nötigen Kräfte zu sammeln, begab Nora sich, gefolgt von Laja, nach unten.

Pu kam gerade zur Tür herein, und nun war es eindeutig. Das Ding, das Pu in Armen hielt, miaute. »Mama«, rief er, »schau sie dir an. Ich hab sie geschenkt bekommen. Sie gehört mir, mir ganz allein. Schau nur, wie lieb sie ist. Einen Namen habe ich auch schon für sie. Ich hab sie gerettet, und drum hat der Bauer sie mir geschenkt.«

Und wer rettet uns jetzt vor der Katze? dachte Nora, die alles mögliche kommen sah. Zuerst einmal das, was augenblicklich eintrat, nämlich daß Laja sich auf das Kätzchen stürzte und es unbedingt halten wollte, während Pu das keinesfalls zulassen mochte, was dazu führte, daß das Kätzchen, gezupft und gezerrt, seine Krallen ausfuhr und sich an Pus Hals festkratzte, während Pu mit Tritten und Schlägen Laja abzuwehren versuchte. »Es ist meine Zizu«, schrie er, »du kannst sie später streicheln, aber jetzt laß sie in Ruh, hörst du, du sollst sie in Ruh lassen, sonst fürchtet sie sich.« Laja, überwältigt von der Idee, endlich eine Katze bei sich zu haben, war zu allem entschlossen, und schon war es ihr gelungen, das Hinterteil der kleinen Katze zu fassen zu kriegen. Nur noch ein kleiner Ruck, dachte sie und versuchte die Katze im Handstreich an sich zu bringen, doch hatte sie nicht damit gerechnet, daß die Katze so laut miauen würde.

»Du drückst sie ja«, schrie sie Pu an und rechnete damit, daß Pu, um das Gegenteil zu beweisen, seinen Griff lockerte, was dieser keineswegs tat, und so mußte Nora dazwischenfahren, um das arme Tier vorm endgültigen Zerrissenwerden zu retten.

»Jetzt reicht's«, sagte sie und nahm nun ihrerseits Pu die Katze fort, worauf dieser sich heulend auf den Boden warf, während Laja sich an sie klammerte, um die Katze in Empfang zu nehmen.

»Ihr hättet sie beinah umgebracht«, sagte Nora und sah sich das winzige, getigerte Wesen an, das mit gesträubtem Fell auf ihrer Handfläche saß und keine Ahnung hatte, was aus ihm werden sollte. Und Nora wußte es auch nicht.

Pu weinte bitterlich über all die Ungerechtigkeit, die ihm widerfahren war, und nun, da Nora die Katze hatte, schlug Laja sich plötzlich auf seine Seite. »Ich wollte sie ja nur streicheln«, sagte sie, »steh doch schon auf.« Und als Pu noch immer schluchzte, meinte sie: »Ich wünsch mir schon viel länger eine Katze als du.«

»Aber mir hat er sie geschenkt, weil ich sie gerettet hab, und jetzt nimmt sie sie mir fort. Du bist gemein«, schrie er seine Mutter an, »so gemein ...«

Nora zeigte sich wenig erschüttert. »Und was soll nun wirklich mit ihr geschehen?« fragte sie. »Du willst sie doch nicht behalten?«

»Er hat sie mir geschenkt«, schrie Pu, »mir ganz allein. Und er hat gesagt, ich darf sie behalten.«

»Du willst sie also mitnehmen?«

»In meinem Zimmer hat sie Platz genug.«

»Auf die Idee, mich zu fragen, kommst du wohl erst gar nicht?«

Das Kätzchen hatte begonnen, Noras Finger zu lecken, offensichtlich roch er nach etwas, das dem Kätzchen schmeckte.

»Letztes Jahr in den Ferien, als ich auch eine Katze wollte, hast du gesagt, ich darf eine haben, wenn uns einmal eine zuläuft.«

Nora erinnerte sich dunkel an eine andere Katzengeschichte, mit ebensovielen Tränen und Zornausbrüchen. Da war es um eine viel größere Katze gegangen, die Pu einfach irgendwo mitgenommen und dann angeschleppt hatte. Sie ließ sich gerne streicheln und füttern, aber schon eine Stunde später fehlte sie jemandem, der sie zurückholen wollte, und Pu war einen ganzen Tag über untröstlich gewesen.

»Dieses Kätzchen ist uns nicht zugelaufen. Du hast es hergebracht, das gilt nicht«, sagte sie. »Das war nicht ausgemacht.«

»Aber ich hab es geschenkt bekommen«, ereiferte sich Pu, »das ist noch viel mehr, verstehst du? Das ist noch viel mehr als zulaufen. Die ist noch zu klein, um zuzulaufen. Dafür kann sie sich richtig an mich gewöhnen. Und es macht ihr dann gar nichts mehr, wenn wir sie mitnehmen.«

»Weißt du nicht, wie arm sie in unserer Wohnung in der Stadt sein wird? Wenn sie immer nur drinnen bleiben muß und keine anderen Katzen kennt, mit denen sie spielen kann?« Es war ein letzter Versuch, und Nora wußte, daß er so gut wie nichts fruchten würde.

»Aber sie hat doch mich«, sagte Pu eindringlich. »Ich spiel mit ihr. Und was glaubst du, wie traurig sie erst sein würde, wenn sie allein hier zurückbleiben müßte?«

Laja hatte sich auf die Eckbank gesetzt und dachte über etwas nach. Man konnte förmlich sehen, wie eine Erwägung die andere verdrängte, bis sie zu einem Schluß kam, der nur noch verwirklicht werden mußte.

»Gibt es dort, wo du die her hast, noch mehr kleine Katzen?« fragte sie Pu, mit einer Betonung, die keinen Zweifel an ihrer Folgenschwere ließ.

»Weiß ich nicht«, sagte Pu, und Nora vergaß kurzfristig aufs

Atmen. »Du kannst ja hingehen und nachschauen. Es ist nicht unser Bauer, sondern der dort unten, wo die Brücke ist.«

»Laja«, Nora versuchte sie zurückzuhalten, »du willst doch nicht wirklich?« Lajas Gesicht glühte vor dumpfer Entschlossenheit. »Also gut«, sagte Nora, »hol dir ruhig auch noch eine Katze, aber das sage ich euch, wenn die hier nur einmal irgendwo hinmachen ...« Sie redete nicht weiter, zutiefst überzeugt von der absoluten Sinnlosigkeit jeder weiteren Erklärung oder Drohung. Lajas Katze war letztlich das Problem ihrer Schwester, die sollte sehen, wie sie sie ihr wieder ausredete. Und die Katze von Pu? Schon hatte sie den grausigen Geruch von Katzendreck in der Nase, und wenn sie die Augen schloß, sah sie die Katze sich an sämtlichen Möbeln die Krallen schärfen. Sie hörte eine entsetzliche Katzenmusik, und im Geist bürstete sie bereits die Katzenhaare von all ihren Wintersachen.

»Miau«, sagte das Kätzchen auf ihrer Handfläche und sah sie an.

»Sie hat Hunger.« Pu riß die Speisekammertür auf und begann zu kramen, was Nora verhindern mußte, wenn nicht alles noch schlimmer werden sollte. Laja war inzwischen gegangen. »Haben wir keine Milch zu Hause?«

»Laß«, sagte Nora und drückte ihm die Katze in den Arm. »Ich mach schon«. Und da war die Sache bereits entschieden.

»Arme liebe, kleine Zizu«, murmelte Pu verklärt und rieb sein Gesicht an dem kleinen weichen Stückchen Fell.

Im stillen setzte Nora ihre Hoffnung auf die üblichen kleinen Katastrophen. Die Katze konnte ja weglaufen oder im Wald verlorengehen oder auf sonst irgendeine Weise abhanden kommen. Und wenn sie ganz böse war, konnte sie sich auch noch einen Fuchs vorstellen, der aus dem Wald kam ...

Da fiel ihr Fenek ein. Wenn der etwa auch … Nein, nein, das konnte nicht sein. Außerdem war Fenek im Internat. Und er war alt genug, um zu wissen, daß er keine Katze ins Internat mitnehmen durfte. Wer weiß, machte er sich überhaupt etwas aus Katzen? Sie hätte es auf Anhieb gar nicht sagen können.

Fenek war viel unterwegs in den letzten Tagen. Er hatte mit Edi Freundschaft geschlossen und war von ihm in eine der Dorfcliquen eingeführt worden. Und wenn er nach Hause kam, konnte es geschehen, daß er und Edi noch lange, auf ihre Räder gelehnt, an der Hausecke miteinander redeten. Sie hatte gar nicht gedacht, daß dieser Edi so gesprächig sein könnte, und Fenek setzte sie erst recht in Erstaunen. Es war eine Welt, aus der sie und Pu und Laja vollkommen ausgeschlossen waren, obwohl sie sich einbildete, Fenek in vieler Hinsicht zu verstehen. Sie hatte nicht die geringste Ahnung, was es sein konnte, worüber diese Buben plötzlich und krächzend auflachen mußten. Offensichtlich hatten sie trotz des verschiedenen sprachlichen Hintergrunds keine Verständigungsschwierigkeiten, im Gegenteil, sie, Nora, hatte Schwierigkeiten, die Formeln auch nur dem Klangbild nach mitzubekommen, die Fenek und Edi sich zubellten.

Natürlich gab es immer wieder Auseinandersetzungen, wenn Fenek nicht und nicht kam. Oder aber er war mit Edi gekommen und hatte dann Edi wiederum nach Hause begleitet, und an manchen Tagen begleitete Edi dann Fenek noch einmal herüber. Ob sie über Mädchen redeten? Nora glaubte nicht so recht dran. Möglicherweise waren es ganz andere und bei weitem gefährlichere Träume, die da ausgetauscht und gedreht und gewendet wurden.

Einmal waren sie und die Kleinen fast zu Tode erschrocken. Sie waren im Wald spazierengegangen, als über eine Böschung

Fenek, Edi und seine Freunde mit ihren Rädern geflogen kamen. Radrennen im Gelände nannten sie das, und Nora dachte nur mit sehr unguten Gefühlen an diese Art von Freizeitbeschäftigung. Da war es ihr schon lieber, wenn sie alle vom Fünfmetertrampolin sprangen. Oder heimlich fischten. Oder sich ins Café setzten und so taten, als wären sie unendlich erwachsen.

Die Tage gingen hin, bestimmt vom Wetter in ihrem Ablauf, und wenn es wirklich zum Schwimmen war, nützten sie jede Minute, und sogar Nora verzichtete auf ihre Arbeitszeit. Zum Glück hatte Laja kein Kätzchen bekommen – Pus war angeblich das letzte, das zu verschenken war –, und Pu hatte sich einigermaßen an seinen Besitz gewöhnt, so daß er Laja auch mit ihm spielen ließ. Und natürlich hatte das Kätzchen oben mehrmals hingemacht. Fenek behauptete, seither schlafe er wie betäubt. Aber nach ein paar Tagen hatte es das Kistchen mit den Sägespänen, die Pu und Laja aus einer Tischlerei geholt hatten, als Klo erkannt, und Nora beschloß großzügig, nicht mehr davon zu reden. Wie gesagt, sie wollte das alles an sich herankommen lassen. Vielleicht mochte das Kätzchen von sich aus nicht mit und war an dem Tag, an dem sie abreisen würden, einfach abgängig. Von Tag zu Tag gab sie allerdings weniger auf eine solche Art von Lösung.

An den Wochenenden kam Lajosch sie besuchen, und manchmal unternahmen sie auch gemeinsam etwas. Am Abend ging er dann mit Nora weg, oder sie saßen unten bis spät in die Nacht, während die Kinder bereits schliefen. Man merkte ihm an, daß er sich einigermaßen bemühte, obwohl er kein besonderes Aufheben von den Kindern machte. Pu war in gewissem Sinne am mühsamsten, weil er ständig versuchte, Lajosch von Nora abzulenken und auf sich aufmerksam zu machen. Laja und Fenek beachteten Lajosch weit weniger, obwohl sie ganz gern mit ihm Spiele spielten, wenn es sich so ergab. Für Lajosch war das alles eher anstrengend, weil ungewohnt, aber so schnell wollte er keinesfalls aufgeben, und zeitweise gefielen ihm die Kinder auch recht gut.

Nora selbst war sich ganz und gar nicht im klaren darüber, wie sehr sie Lajosch wirklich mochte. Sie freute sich jedenfalls, wenn er kam, und nachdem sie niemanden sonst in dem Ort hatte, mit dem sie Erwachsenengespräche hätte führen können, tat sie das mit Lajosch, wenn er da war.

»Ganz versteh ich dich ja nicht«, sagte Lajosch, als sie eines Abends in einem der Hotelrestaurants beisammensaßen. Sie hatten Wein bestellt, und es war warm genug, um auf der Terrasse zu sitzen. »Warum machst du nicht gleich ein Kinderheim auf? Nicht daß ich gegen eins der Kinder was hätte, ich frage mich nur, wie du dazu kommst?« Er nahm Noras Hand und sah sie mit einem Blick an, der eine Mischung aus Fürsorge und Unverständnis war.

»Wie ich dazu komme?« Noras Ton war freundlich, aber ganz versteckt klang auch eine Spur Angriffslust mit. »Wie komme ich dazu, daß jemand mich geboren hat? Und wie komme ich dazu, daß jemand mich großgezogen hat? Und wie komme ich überhaupt dazu, daß ich noch am Leben bin? Wie komme ich dazu, daß man mir zumindest soviel Liebe entgegengebracht hat, wie ich zum Leben gebraucht habe? Wie komme ich dazu, daß jemand sich mit mir unterhalten hat, so daß ich reden lernte? Und wie komme ich dazu, daß ich eine Reihe von schönen Erinnerungen an meine Kindheit habe, gewiß auch schlimme, aber an die schönen kann ich mich noch sehr gut erinnern.«

Lajosch schien verwundert. »Was hat das alles damit zu tun?«

»Warum soll ich nicht weitergeben, was ich erhalten habe?«

»Sicher verdankst du deinen Eltern eine Menge«, meinte Lajosch, »ich den meinen auch, aber du hast selbst ein Kind, das dich beansprucht.«

»Ich bin nicht bei meinen Eltern aufgewachsen«, sagte Nora, »nur in der Schule wußte das niemand. Meine Schwester und ich sind in der Verwandtschaft herumgereicht worden, und ich konnte sehr gut unterscheiden zwischen den Leuten, die sich auf uns einließen, und jenen, die irgendeiner Pflicht nachkamen. Und daß wir überlebt haben, das verdanken wir nur denen, die mit ihrer Zuneigung nicht hausgehalten haben. Die nicht lange gefragt haben, ob wir eigene oder hereingeschneite Kinder, sondern für die wir eben einfach Kinder waren, Kinder, die es gab und für die gesorgt werden mußte, mit leiblichen und seelischen Kräften. Wir hatten da eine Tante, die weder besonders mütterlich noch besonders häuslich war und die immer stöhnte, wenn man uns bei ihr ablieferte. Jetzt sind diese Plagegeister schon wieder da, jammerte sie, und im nächsten Augenblick mußten wir bereits lachen, weil sie uns mit ihrer Umarmung fast erdrückte. Und was sie besonders liebenswert machte, war, daß wir das Gefühl hatten, ihr Spaß zu machen. Daß sie es genoß, uns bei sich zu haben, obwohl sie ganz schön jähzornig war und man nie abschätzen konnte, wie sie auf einen Streich reagieren würde. Sie konnte nicht sprechen, ohne zu übertreiben, und stets versicherte sie uns, daß wir eine enorme Plage für sie bedeuteten, aber bald hatten wir gelernt, in dieser verkorksten Sprache mit ihr zu reden, und wenn sie mit ihrem theatralischen Gejammer anfing, sagten wir: Selber schuld, du kannst ja nicht genug von uns haben. Oder: Bei dir büßen wir alle unsere läßlichen Sünden und deine dazu. Deine Launen sind schlimmer als rostige Schuhnägel, was haben wir nur verbrochen, daß wir mit dir gestraft wurden? Aber wenn sie uns dann wieder von ihr fortholten, konnten wir uns alle drei nicht in die Augen sehen, ohne zu heulen. Sklavenhälterin, schimpften wir sie, solange wir in ihrem Haus waren, denn sie achtete sehr auf eine möglichst gerechte Verteilung aller Handgriffe, aber wenn uns jemand fragte, wo wir am liebsten hinwollten, dann war das für uns keine Frage.«

»Na ja«, sagte Lajosch, »das klingt, als würdest du deiner Tante nacheifern.«

»Das geht gar nicht«, sagte Nora, »sie war in allem und jedem einmalig. Aber ich weiß, daß gewisse Dinge nötig sind und daß das Leben aus Wechselwirkungen besteht.«

»Ich kann das alles verstehen, aber es ist doch unendlich mühsam, zu arbeiten und Kinder zu betreuen und weiß der Teufel was noch alles.«

»Das ist eine Frage der Umverteilung«, lachte Nora. »Du kannst mir ja helfen, dann ist es gleich nicht mehr so mühsam.«

»Ich wußte ja, daß du eine anspruchsvolle Frau bist«, spöttelte Lajosch. »Ich hatte schon gedacht, ich würde mit einem Pelz oder einer dicken Goldkette davonkommen. Dabei willst du Arbeit, richtige Arbeit. Ob ich das schaffe?« Und er stöhnte jämmerlich.

»Gleich werde ich dir die Vorteile aufzählen, damit du nicht ganz wegsackst.«

»Und die wären?« Lajosch sah eher skeptisch drein.

»Du merkst sehr rasch, wie und wer du bist.«

»Wieso?« Lajosch schaute nicht gerade sehr klug.

»Die Kinder spielen dir soviel Wissen über dich selbst zu, daß kein Psychiater dir zu mehr verhelfen kann, indem sie dich imitieren, dich nachspotten oder gegen dich ankämpfen.«

»Zweitens«, fragte Lajosch, »wenn ich dir den ersten Punkt schon durchgehen lasse?«

»Zweitens wirst du viel heftiger ins Leben hineingezogen, ich möchte sogar sagen, du lebst deutlicher. Du wirst unsicherer in deinen Behauptungen und sicherer in deinen Gefühlen. Wenn Pu zum Beispiel sagt: Wenn alles in Gottes Hand ist, warum beißt ihn dann niemand in den Finger? Dann kann da niemand recht haben, aber du weißt, was er empfindet.«

»Gibt es auch ein Drittens?« fragte Lajosch, und es klang eher nachsichtig als beipflichtend.

»Drittens«, sagte Nora, »drittens«, und es wollte ihr nicht gleich einfallen, was sie noch unbedingt sagen mußte. Zum Glück kam der Ober gerade mit einer neuen Karaffe Wein, und sie hatte ein paar Minuten Zeit nachzudenken.

»Drittens kannst du dir irgendwann einmal die Überzeugung abschminken, daß wir, nämlich unsere Generation, und nur unsere Generation, die Welt erfunden haben, eine Einstellung, die auf die Dauer ohnehin ungesund ist, weil nämlich alle Generationen dazu neigen. Und viertens und fünftens wirst du von offenen Zu- und Abneigungen gebeutelt, von Zorn und Freude, von Hoffnung und Verzweiflung, nur Depressionen kannst du dir auf die Dauer keine leisten, dazu sind die Forderungen zu dringend und deine Nerven zu straff gespannt, als daß du sie durchhängen lassen könntest.«

»Wenn man dir so zuhört, kommst du einem vor wie ein Missionar«, sagte Lajosch erschlagen. »Sag jetzt bloß noch, dir ginge das Ganze nicht hin und wieder doch auf die Nerven.«

»Natürlich geht es mir hin und wieder auf die Nerven, ich frage mich nur, was einem nicht hin und wieder auf die Nerven geht. Glaubst du, mit dem Übersetzen ist es anders? Oder deine Mikroskope, könntest du sie nicht von Zeit zu Zeit an die Wand werfen? Selbst dein Stammlokal wird dir nicht immer denselben Spaß machen. Ich wage sogar zu behaupten«, sagte Nora und sah ihn dabei mit einem stechenden Blick an, »daß auch ich dir zeitweise auf die Nerven gehe.«

Lajosch fing laut zu lachen an. »Und wie du mir auf die Nerven gehst, vor allem wenn du mir deine gesamten Wahrheiten so einfach ins Gesicht sagst. Du spazierst auf meinen Nerven herum, als wären sie Drahtseile, und wippst und machst Pirouetten, mit einem Wort, du produzierst dich, ohne einen Gedanken daran zu verschwenden, daß sie reißen könnten.«

»Und du«, sagte Nora, »du tust, als ginge dich das alles nichts an, als könntest du dich raushalten oder höchstens mitnaschen. Nein, nein, mein Lieber, mitumarmt – miterbarmt.«

Und irgendwie hatte sie recht, denn Lajosch hatte schon die längste Zeit den Arm um sie gelegt.

Anderntags war es Pu, der als erster die Treppe herunter und in Noras Zimmer kam. »Es ist noch mitten in der Nacht«, sagte Nora verschlafen. Pu protestierte und machte das offene Fenster so weit auf, daß der Vorhang hochrutschte und das Tageslicht voll hereindrang. Und da bemerkte er Lajosch.

Pu war empört. »Mama«, rief er, »was macht denn der Lajosch in deinem Bett?«

Nora blinzelte, und Lajosch rührte sich nicht. »Komm her«, sagte Nora, und Pu kroch auch unter ihre Decke.

»Warum?« fragte Pu noch einmal, »warum darf er und ich nicht?«

»Weil du erst einmal lernen mußt, allein in deinem Bett zu schlafen. Man muß beides können.«

»Aber warum darf er?« fragte Pu.

»Weil das eben auch eine Form von Liebe ist. Dich hab ich gestillt, dich hab ich gebadet, dir erzähl ich Geschichten, für dich sorge ich, daß du was zu essen und was zum Anziehen hast, dir helf ich bei den Schulaufgaben, mit dir red ich über deine Lehrerin, mit dir fahr ich in die Ferien, mit dir kuschel ich, dir nehm ich nicht einmal eine Katze weg, wenn du sie mir nichts dir nichts anschleppst.«

Da machte Lajosch scheinheilig die Augen auf, so als hätte er wirklich noch geschlafen, und sagte: »Und von dir erzählt sie mir auch die ganze Zeit, wenn ich mit ihr ausgehe, also du hast wirklich keinen Grund, dich zu beschweren.«

»Du hast aber bisher auch nicht bei uns geschlafen«, sagte Pu streng, »warum jetzt auf einmal?«

Lajosch dachte nach. »Ja, warum eigentlich? Ich glaube, weil deine Mutter mich bekehrt hat.«

»Bekehrt?«

»Dazu, daß es ganz lustig sein könnte, mit dir eine Polsterschlacht zu machen.«

Nora stand auf. »Das muß ich wirklich nicht haben.«

Sie ging mit ihrem Zeug ins angebaute Badezimmer hinaus. Sie duschte ausführlich und schaute lange in den Spiegel. Sie wollte wissen, ob sie sich über Nacht verändert habe.

Als Nora zurückkam, tobte in ihrem Zimmer eine Schlacht, an der auch Laja teilnahm, nur Fenek hatte begonnen, für das Frühstück aufzudecken. Nora konnte es kaum fassen, daß Fenek von sich aus auf so etwas kam. »Ich bin gerührt«, sagte sie, als sie das Kaffeewasser aufstellte.

Fenek aber meinte, indem er mit dem Kopf leicht gegen die Schlafzimmertür deutete: »Am Anfang ist das immer so.«

Nora stutzte. »Und dann?«

»Was fragst du mich, du weißt es ja auch«, sagte Fenek bedeutungsschwer. »Dann heißt es: Ruhe, solange wir schlafen. Wir sind spät nach Haus gekommen, und der Sonntag ist der einzige Tag, und so weiter und so fort ...«

Nora mußte lächeln. »Du siehst ja schwärzer als ich. Aber vielleicht kann man eine Vereinbarung treffen, die dann für alle verbindlich ist, bis um neun Ruhe, danach allgemeines Toben?«

»Können schon.« Fenek zuckte die Schultern. »Aber, wie du weißt, der Ton macht die Musik.«

»Ruhe«, brüllte Nora in diesem Augenblick. Die Türe drohte bereits durchzubrechen unter der Wucht der Geschosse. »Alles raus aus dem Bett, das Frühstück ist gleich fertig.«

Einen Augenblick war es still, dann hörten sie dreistimmiges Gelächter. Lajosch schien irgend etwas gesagt zu haben, aber weder Nora noch Fenek hatten es verstanden. Kurz darauf betrat eine menschliche Pyramide die Küche. Laja hatte sich um Lajoschs Leib geschlungen, und Pu saß auf seinen Schultern. »Zu Befehl«, sagte Lajosch, »die Einheit meldet sich zum Essenfassen.«

Nora und Fenek waren mit dem Frühstück so gut wie fertig, als endlich alle gewaschen, geschneuzt und gekämmt um den Tisch saßen.

Die Laune war gut und das Wetter so halbwegs, und wenn es noch halbwegser wurde, konnte man zur Abwechslung einmal – und weil Lajosch ja das Auto dabeihatte – an den Moorsee zum Schwimmen fahren. Einstweilen aber geschah nichts als Herumhocken, Pu und Laja erzählten Witze, die insgesamt eines gemeinsam hatten, daß sie die Pointe meist zuerst erzählten und sich bogen und kicherten, während die anderen vergeblich versuchten, sich einen Reim drauf zu machen. Auch

Zizu war da und versuchte immer wieder auf den Tisch zu klettern und sich das Frühstück aus der Nähe anzuschauen. Nora blieb aber dabei, daß sie das keineswegs dulden würde.

Während Nora die Betten machte, spielte Lajosch mit Fenek eine Partie Schach, Laja goß die Blumen an den Fenstern, und Pu verschwand tatsächlich mit dem Schuhputzzeug vor die Tür hinaus, doch dann kam er auf die Idee, Noras Wanderschuhe zuerst einzuweichen, um die Dreckkruste herunterzubekommen, und dabei verschmierte er den Dreck nicht nur auf den Schuhen, sondern auch auf seinem Leibchen, worauf Nora ihm das Schuhputzzeug und das Leibchen fortnahm und ihm erklärte, wohin er das Besteck räumen sollte, das sie inzwischen schnell noch gewaschen hatte.

Als sie dann endlich alle im Auto saßen, stellte sich heraus, daß Laja ihren Badeanzug und Nora die Handtücher vergessen hatten, was Fenek dazu veranlaßte, ein paar abschätzige Bemerkungen über »die Fraucn« zu machen, denen Lajosch hämisch grinsend beipflichtete, froh darüber, daß Fenek sich nun offensichtlich auf seine Seite schlug. Nora und Laja zeigten nur mit angewiderter Miene, was sie von Bemerkungen und einem Grinsen dieser Art hielten. Sie waren sich eindeutig zu gut, um etwas darauf zu sagen. Wortlos stiegen sie wieder aus und holten ihr Zeug. Sie fuhren also los, und nach einiger Zeit, nämlich vor dem letzten steilen Stück, blieb das Auto einfach stehen, weil Lajosch zu tanken vergessen hatte. Nun war es an Nora und Laja zu grinsen. Sie schoben das Auto an den Straßenrand, und Lajosch nahm einen leeren Kanister mit, um oben an der Tankstelle Benzin zu kaufen. Pu schimpfte am meisten über den nicht vorhergesehenen Fußmarsch, obwohl er ansonsten ein guter Geher war. »Aber ich bin nicht darauf eingestellt«, murrte er, »und wenn ich nicht aufs Gehen eingestellt bin, dann habe ich keine Lust dazu, und wenn ich keine Lust habe, dann kann ich auch nicht«, und er setzte sich auf eine Bank am Wegrand, von der aus man eine schöne Aussicht hatte.

Das Wetter hatte sich insofern geändert, als daß es ziemlich schwül wurde, und so schleppten sie sich und ihr Zeug schwitzend und brummig dem Moorsee zu. Pu war zurückgeblieben, aber als niemand sich um sein Geraunze kümmerte, kam er wieder nach und schrie, daß man auf ihn warten möge, was aber niemand auch nur in Erwägung zog.

Die Stimmung ging wohl mit dem Wetter, selbst Lajosch und Nora schienen sich fremder denn je. Erst als sie endlich beim Moorsee oben waren und sich einen Liegeplatz gesucht hatten, fiel die Bedrückung wieder etwas von ihnen ab, und während die Kinder sofort ins Wasser hüpften, küßte Lajosch Nora schnell. Und während sie nachsah, ob sie nun all ihr Zeug beisammen hatten, neckte er sie, indem er immer etwas hinter seinem Rücken versteckte.

Es war nicht der erste Sonntag, den sie miteinander verbrachten, und doch war diesmal alles ein wenig anders. Wann immer sich irgendwo etwas spießte, kam eine leise Befangenheit auf, und die Kinder, die Lajosch einerseits als Spielgefährten schätzten, mochten es nicht sehr, wenn er sich vermittelnd zwischen sie und Nora stellte. Auch Lajosch war unsicherer als sonst, sobald es um etwas ging, das er ansonsten ohne zu zögern entschieden hätte, zum Beispiel in Sachen Coca-Cola oder Salamibrote.

Pu und Fenek vertrieben sich die Zeit mit Fröschefangen, und wenn sie einen in der Hand hatten, stellten sie sich nebeneinander und ließen ihn von ihrer Hand aus abspringen. Der, dessen Frosch am weitesten sprang, hatte gewonnen. Dann aber begann Pu zu mogeln, indem er sich immer weiter vorbeugte, und Fenek wurde böse, und als Pu dann noch sagte, »Ich fang eben immer die Besseren, weil ich einen Blick dafür habe«, haute Fenek ihm eine herunter, allerdings hinter einem Weidenbusch, so daß niemand es bemerkte. Pu war so wütend, daß er Fenek in den Arm biß. In diesem Augenblick entdeckten sie eine Ringelnatter, die neben ihnen ins Wasser glitt, und somit vergaßen sie auf die Fortsetzung der Feindseligkeiten.

Laja hinwiederum wollte Lajosch unbedingt dazu bringen, daß er sich sie um den Leib hängte – sie würde dabei ihre Füße umfassen und einen Ring um seine Mitte bilden –, und probierte, dann noch einen Handstand zu machen, was nach einer Unzahl von Versuchen auch gelang, allerdings war Lajosch danach dermaßen erschöpft, daß er für den Rest der Moorseezeit um Schonung bat. Laja aber stand von da an auf einem Bein im Wasser und versuchte Fische zu fangen, à la Sumpfhuhn, wozu Pu und Fenek abschätzige Bemerkungen machten.

Und Nora schlief. Zu aller Entsetzen. Denn wenn es etwas gab, was sie alle überhaupt nicht mochten, dann war es eine schlafende Nora, die damit zeigte, daß sie müde war und auf die auch noch Rücksicht genommen werden mußte. Die man nicht einfach anreden konnte, denn dann weckte man sie ja. Und bei solchen Gelegenheiten wurde den Kindern erst klar, wie oft sie eigentlich etwas von ihr wissen wollten.

Das Wasser des Moorsees war warm, und so machte es ihnen auch nichts aus, daß die Wolken sich mehr und mehr ballten, um dann von einem Gott sei Dank warmen Wind wieder auseinandergetrieben zu werden. Fenek war sicher, daß es über kurz oder lang regnen würde, und eigentlich hatte er vorgehabt, zum Aufbruch zu drängen, damit er am Abend noch zu Edi gehen konnte, aber gegen eine schlafende Nora konnte auch er nicht an, und so suchte er nach einer entsprechenden Astgabel, um auf Schlangenfang zu gehen, wie er Pu erklärte. Pu wollte das natürlich auch, und sie sprachen davon, ein Terrarium anzulegen, und in solchen Augenblicken vertrugen sie sich beinah ausgezeichnet. Pu war so begeistert, daß er Fenek andächtig zuhörte und alles tat, was dieser ihm sagte, vor allem aber all das nicht, von dem Fenek sagte, er solle es lassen. Erst später, wenn Pu überzeugt war, eine Astgabel genausogut handhaben zu können wie Fenek, würde es wieder Streit geben.

Laja schwamm mehrmals über den ganzen See, und dann hatte sie am drüberen Ufer ein Mädchen in ihrem Alter entdeckt, das ein Vergrößerungsglas bei sich hatte und damit das Ufer nach Käfern absuchte. Sie ließ auch Laja durchschauen, und Laja war sehr angetan von all den Mustern und Flügelformen, von den merkwürdigen Fühlern und Beinen. Inzwischen übersah sie ganz, daß Bremsen ihr den Rücken wundstachen. »Du hast eben süßes Blut«, sagten alle immer, anstatt ihr einen Stift zu kaufen, der die Bremsen vertrieb, oder ihr Vitamin B zu geben, was die Bremsen angeblich nicht mochten. Laja dachte mit Grausen an die kommende Nacht, wenn dann plötzlich alle Einstiche auf einmal zu jucken beginnen würden und sie vor lauter Kratzenwollen die Finger zu Fäusten ballen mußte. Sie empfand es als den Gipfel der Ungerechtigkeit, daß diese Viecher sich immer gerade sie aussuchten, während Pu und Fenek so gut wie nichts abbekamen und auch Nora nicht gerade darunter litt. »Da«, rief das fremde Mädchen und zerklatschte eine Bremse auf Lajas Rücken, daß sie nicht übel Lust hatte, zurückzuhauen, so unerwartet und fest hatte dieser Schlag sie getroffen.

Es war schon spät am Nachmittag, als sie sich von dem wiederholt drohenden Gewitter verscheuchen ließen. Pu hatte als einziger daran gedacht, daß sie ja an der Selbsttankstelle noch Benzin holen mußten – er war es auch gewesen, der den Kanister zum Spielen gebraucht und verschleppt hatte –, nur war er nicht mehr so sicher, wo er ihn gelassen hatte. Zum Glück fand Fenek ihn noch rechtzeitig – was soviel hieß wie vor Lajoschs totaler Verärgerung –, und so traten sie im Gänsemarsch den Weg zum Auto an.

Und natürlich waren die Wolken über alle Berge, als sie dann endlich zu Hause waren, aber Lajosch würde ohnehin bald fahren müssen. Die Sonne setzte zu einem verklärten Untergang an, als würde sie all die Wankelmütigkeit des Wettergeschehens schlicht als Mißverständnis abtun. Nora und Lajosch setzten sich noch ein wenig vors Haus, hielten einander an der Hand und redeten, während Pu und Laja das Katzenklo säuberten. Fenek hatte sein Rad geholt und war zu Edi hinübergefahren, dann aber anscheinend wieder allein zurückgekommen – offensichtlich war Edi nicht zu Hause – und vor lauter Langeweile die Straße neben dem Haus hochgefahren. Plötzlich aber kam er, mehr geflogen als gefahren, zum Haus her eingebogen, gerade in dem Augenblick, als Pu mit dem Kistchen zur Mülltonne wollte. Fenek erwischte Pu gerade noch an der Ferse, so daß Pu hinfiel, Fenek aber stieg auf wie eine Rakete und wurde durch die Geschwindigkeit, mit der er dahergebraust kam, mit aller Wucht gegen den Kilometerstein an der Einfahrt geschleudert. Gerade hatten alle noch geschrien, Fenek, als er Pu bemerkte, Pu, als er fiel, Nora, als sie Pu und Fenek stürzen sah, und Lajosch, der Nora gerade tief in die Augen geblickt hatte und in ihnen den großen Schrecken sah. Jetzt waren sie alle still, nur Pu fing ziemlich bald zu weinen an. Nora hob ihn auf und stellte ihn auf die Beine, und als er stehenblieb, lief sie sofort weiter zu Fenek, neben dem bereits Lajosch kniete.

»Was ist los?« rief Laja zum Fenster herunter, aber niemand antwortete ihr.

»Fenek!« schrie Nora und versuchte ihn an sich zu drücken, aber Lajosch hinderte sie daran. Fenek lag wie leblos da, irgendwo am Kopf blutete er.

»Er muß in Schräglage«, sagte Lajosch, wie er es im Erste-Hilfe-Kurs einmal gelernt hatte, und drehte ihn vorsichtig um.

Wenn er nur nicht stirbt, war alles, was Nora in ihrer großen Verzweiflung denken konnte. Sie fühlte sich merkwürdig leer und so, als hätte sie es schon immer geahnt, daß eines Tages ihre schlimmsten Befürchtungen eintreffen würden. Hinter allem und jedem lauert Unglück, und man kann ihm nicht auf die Dauer entgehen.

»Was sollen wir tun?« fragte Nora leise.

Lajosch schien wieder ganz ruhig. »Wir müssen ihn sofort ins Spital bringen. Ich fahre mit dem Auto hierher, und wir betten ihn auf die Rücksitze. Ganz vorsichtig.«

Nora blieb bei Fenek und hielt seine Hand. Sie weinte. Pu kam heulend auf sie zu und wollte umarmt werden. Er konnte es nicht fassen, daß niemand sich weiters um ihn kümmerte, wo er doch auch verletzt war und sogar humpeln mußte. Aber als er Fenek so daliegen sah, sagte er nichts und schluchzte nur leise vor sich hin, während er sich an Nora schmiegte.

Lajosch hatte das Auto geholt und die hinteren Türen geöffnet. »Komm«, sagte er zu Nora, »wir müssen es versuchen.« Vorsichtig hoben sie Fenek auf, der noch immer ohne Bewußtsein war. Sie schoben ihm einen leichten Polster unter den seitlich liegenden Kopf und betteten ihn seitlich, damit er nicht ersticken konnte, falls er erbrechen mußte.

Nora liefen noch immer die Tränen runter. »Geh ins Haus, Pu«, sagte sie. »Es ist kein Platz im Auto. Du und Laja, ihr müßt hierbleiben. Wenn euch bang ist, dann geht inzwischen zur Bäurin hinüber.«

Pu schluchzte heftiger und klammerte sich einen Augenblick lang fest an Nora. Dann aber schien er plötzlich zu begreifen und ging ohne ein Wort ins Haus. Laja stand noch immer am Fenster, ihr Gesicht war weiß.

Sie fuhren los. Nora versuchte so zu sitzen, daß sie Fenek sehen konnte, sie stützte ihn auch mit der einen Hand seitlich ab. Die verschiedensten Gedanken durchfuhren sie. Wenn nun Fenek für sein Leben einen Schaden davontrug? Oder wenn er gar starb? Er durfte nicht sterben, nein, das durfte er nicht. Und was würde seine Mutter sagen, sein Vater? Wie hatte das alles nur passieren können? Nora wußte auf nichts eine Antwort.

Als sie mit Fenek ins Spital kamen, hatte er das Bewußtsein noch nicht wiedererlangt. Er wurde sofort zur Untersuchung gebracht, während Nora in der Aufnahme seine und ihre Daten sagen und erzählen mußte, wie der Unfall passiert war.

»Sind Sie die Mutter?« fragte die Schwester mit einemmal.

»Ja«, murmelte Nora, dann korrigierte sie sich, »nein. Nein, ich bin nicht die Mutter.«

Die Schwester sah sie verwundert an. »Und wo ist die Mutter?«

»In Australien.«

»Und wo in Australien?«

Da fiel Nora ein, daß sie nicht einmal die Adresse von Feneks Mutter wußte. Warum auch, sie hatte schon lange nichts mehr mit ihr zu tun gehabt. Und wer hätte schon daran gedacht, daß einmal etwas passieren könnte, bei dem man die Adresse von Feneks Mutter brauchte. Aber vielleicht stand sie auf dem Brief, den Fenek von seiner Mutter erhalten hatte. Nur, wo war dieser Brief? Sie würde Feneks Sachen durchwühlen müssen, und vielleicht hatte er nur den Brief aufgehoben und den Umschlag weggeworfen?

»Ich weiß die Adresse nicht auswendig«, sagte Nora, »ich bringe sie Ihnen demnächst vorbei.«

»Und Sie«, fragte die Schwester Lajosch, der gerade hereinkam, »sind Sie der Vater?«

»Der Vater?« Lajosch schüttelte verdutzt den Kopf.

»Wo ist der Vater?«

»In Amerika.« Nora senkte den Blick, im voraus wissend, was nun kommen würde.

»Und wo in Amerika?« Die Schwester hielt den Kugelschreiber auf Nora gerichtet.

Nora zuckte die Achseln. »Irgendwo, er macht eine Reise, quer durch den Kontinent, von der er hin und wieder eine Karte schreibt. Jetzt wird er vermutlich in Kalifornien sein, aber wo genau, das weiß ich nicht.«

»Und wer ist für das Kind verantwortlich?« Da war nun diese schreckliche Frage, die Nora die längste Zeit kommen sehen hatte.

»Ich.« Nora richtete sich auf.

»Und in welchem Verhältnis stehen Sie zu dem Kind? Sind Sie mit ihm verwandt? Haben Sie irgendwelche Vollmachten oder Unterlagen für die Versicherung?«

Zum Glück wußte sie noch, bei welcher Versicherung Vater eins war, Unterlagen hatte sie natürlich keine, aber das würden sie schon irgendwie hinbekommen. Und sekundenlang stieg Ärger in ihr auf, Ärger über die Gedankenlosigkeit von Vater eins, der nie an solche Dinge dachte. Sie erinnerte sich, ihn noch nach einem Krankenschein für Fenek gefragt zu haben, schließlich konnte Fenek ja auch einmal Angina oder Bronchitis haben. Und Vater eins hatte gesagt: »Ja, ja, werd ich Sylvie sagen, die schickt dir dann noch einen, bevor wir wegfahren.« Und natürlich hatte Sylvie nichts geschickt, weil Vater eins die ganze Angelegenheit sicher sofort wieder vergessen hatte. Und da saß nun eine Krankenschwester, die wie eine Richterin wirkte, und sie, Nora, saß vor ihr als Angeklagte.

»Ich bin die zweite geschiedene Frau seines Vaters«, sagte Nora.

»Wie kommen Sie dann zu diesem Kind?« fragte die Schwester neugierig.

»Durch Kinder wird man verwandt«, sagte Nora. »Ich bin die Mutter seines Halbbruders, und damit sie einander nicht aus den Augen verlieren, habe ich beide Buben mit in die Ferien genommen.«

»Und Sie haben damit keinerlei Schwierigkeiten?« fragte die Schwester plötzlich in privatem Ton. Und als Nora nicht gleich antwortete, fuhr sie fort: »Der Vater, sagten Sie, wo ist schnell der Vater?«

»Der Vater ist mit seiner dritten Frau in Amerika«, antwortete Nora gottergeben. Die Schwester schien das als persönliche Beleidigung zu empfinden.

»Versicherung?« sagte sie.

Nora kramte in ihrer Tasche. Im Taschenkalender hatte sie die Versicherung aufgeschrieben, denn auch Pu war bei seinem Vater mitversichert. Sie nannte der Schwester die Versicherung. »Nur, Unterlagen habe ich keine.«

»Dann werden Sie eine Kaution erlegen müssen«, sagte die Schwester.

Plötzlich riß der Knoten in Nora, zu dem all ihre Befürchtungen sich geschürzt hatten. »Hören Sie«, rief sie, »ich will zuerst einmal wissen, was mit Fenek los ist.« Sie verschluckte sich beinahe. »Können Sie sich denn nicht vorstellen, daß mir im Augenblick alles andere gleichgültig ist? Ich möchte wissen, was mit dem Kind ist, was es hat und welche Chancen man ihm gibt.« Und Nora fing, ohne es zu wollen, wieder zu weinen an.

»Es wird untersucht«, sagte die Schwester, »das dauert eben ein Weilchen.« Und dann: »Ist ja schon gut. Sie brauchen nicht zu glauben, daß ich das alles erfunden habe. Ich muß mich an meine Vorschriften halten, und die besagen nun einmal, daß bei Zweifel am rechtmäßigen Versichertsein von eingelieferten Patienten eine Kaution zu erlegen ist.«

Nora konnte sich nicht gleich beruhigen. Lajosch hatte sich neben sie gesetzt und versuchte sie zu trösten.

»Warum regen Sie sich denn so auf«, sagte die Schwester, »wenn es doch gar nicht Ihr Kind ist?«

Nora war sprachlos. Sie wollte irgend etwas sagen, aber Lajosch meinte: »Nicht reden, nicht jetzt, es wird nicht besser davon.«

»Wie hoch ist denn die Kaution?« fragte Lajosch.

Die Schwester nannte, noch immer über Nora den Kopf schüttelnd, einen ziemlich hohen Betrag.

Lajosch nahm ein Scheckbuch aus seiner Rocktasche.

»Laß nur«, sagte Nora, »ich mach das schon.« Letztendlich stellten sie jeder einen Scheck auf die halbe Summe aus. Nora würde Lajosch das nie vergessen, daß er so selbstverständlich dazu bereit gewesen war. Die Schwester versperrte die Schecks in einer Metallkassette und sagte ihnen dann, wo sie auf den Arzt warten sollten. Als er dann endlich kam, hatte Nora sich soweit beruhigt, daß sie mit ihm reden konnte, ohne zu schluchzen.

»Es ist ein Schädelgrundbruch«, sagte der Arzt, »zum Glück gibt es keine inneren Blutungen oder Verletzungen. Wir haben ihn auf die Intensivstation gebracht. Er muß vollkommen ruhig gelagert sein. Rufen Sie morgen früh wieder an.«

»Glauben Sie«, fragte Nora mit bebender Stimme, »glauben Sie, daß alles gutgehen wird? Daß ihm nichts bleibt?«

»Ganz genau kann man das erst in ein paar Tagen sagen«, meinte der Arzt, »aber er ist jung und kräftig, und wenn nicht unvorhergesehene Komplikationen eintreten, hat er eine gute Chance.«

Bevor sie zurückfuhren, gingen sie noch einen Kaffee trinken. Lajosch redete Nora gut zu. »Soll ich bleiben«, fragte er sie, »und erst in ein paar Tagen fahren?«

»Lieb von dir«, flüsterte Nora, »aber wir können jetzt ohnehin nichts machen. Vielleicht brauchen wir dich später viel eher, wenn Fenek aus dem Spital zurückkommt.«

Pu und Laja saßen in der Stube und warteten. Sie waren nicht zur Bäurin gegangen, sie wollten zu Hause sein, wenn Nora kam. Sie hatten sich gegenseitig getröstet und Mut gemacht, und Laja hatte sogar Tee gekocht, obwohl sie das noch nie gemacht hatte, und Pu hatte Brote gestrichen, denn trotz aller Aufregung waren sie hungrig.

Nora erzählte ihnen, was der Arzt gesagt hatte, und Pu fragte ganz verschüchtert: »Glaubst du, bin ich schuld?« Nora schaute ihn verwundert an. »Na, weil er doch über mich drübergeflogen ist.«

»Solche Dinge passieren«, sagte Nora. »Fenek hätte nicht so schnell hier hereinbiegen dürfen«, sagte sie, »und du hättest genau schauen müssen.«

»Aber hier fährt doch nie jemand zu uns herein. Sogar Lajosch läßt sein Auto draußen stehen.«

Nora zuckte die Schultern. »Gegen gewisse Dinge kann man sich anscheinend nicht schützen. Fenek hat sonst auch immer achtgegeben, und auf einmal ist es doch passiert. Hoffen wir nur, daß er es gut übersteht.«

Nachts dann, als Lajosch zurückgefahren war und die Kinder längst schon schliefen, fing es in Nora wieder zu bohren an.

Was würden Feneks Eltern nun wirklich sagen? Und hätte sie sie nicht sofort verständigen müssen? Aber wie? Hätte sie eine großangelegte Suchaktion starten sollen? Sie würde gleich in der Früh nach dem Brief von Feneks Mutter suchen. Aber bevor sie ihr telegrafierte, wollte sie unbedingt hören, was der Arzt sagte. Auf diese Entfernung mußte jede Nachricht von dem Unfall wie ein Geschoß wirken. Und Vater eins? Er hatte zu Nora gesagt, es werde schon nichts passieren, als sie erklärt hatte, daß sie die Verantwortung nicht übernehmen könne. »Wir werden dir schon keinen Vorwurf machen«, hatte Vater eins lauthals erklärt. Und jetzt? Wie würde er darauf reagieren? Und für Augenblicke wurde sie kleinmütig. Das soll mir eine Lehre sein, sagte sie sich. Warum mußte ich mich nur auf all das einlassen? Sie versuchte sich vorzustellen, wie Fenek oder Laja den Sommer anderswo verbracht hätten. Sicher nicht ideal, und passieren hätte überall etwas können, aber jetzt, da es bei ihr passiert war, würde sie dafür verantwortlich gemacht werden. Und dann dachte sie an Fenek und an alles, was sie von ihm und über ihn wußte, und sie wünschte sich nur, daß alles gutging, daß er aus seiner Bewußtlosigkeit erwachen und reden würde wie gewöhnlich. »Scherz extrem das, hin … mir sind wohl Flügel gewachsen?« oder etwas in der Art. Und mit der Zeit verblaßten alle anderen Erwägungen.

Anderntags war sie sofort zur Post gelaufen und hatte mit dem Krankenhaus telefoniert. Der Arzt war eher optimistisch, sie würde Fenek am Nachmittag für eine Viertelstunde sehen dürfen. Dann versuchte sie das Telegramm abzufassen, sie hatte den Brief doch gefunden, mitsamt dem Umschlag. Und während sie mit der Beamtin redete, kam sie drauf, daß sie auch ein Telefongespräch vorbestellen konnte. Sie bestellte es für die Zeit nach dem Spitalsbesuch und, falls Feneks Mutter nicht rechtzeitig ausfindig gemacht werden konnte, für einen Termin am nächsten Vormittag.

Pu und Laja waren tagsüber eher niedergeschlagen und stritten sich so gut wie nicht. Sie waren traurig, daß sie Fenek noch nicht sehen durften, und gingen nun doch zur Bäurin, während Nora mit dem Autobus zum Krankenhaus fuhr. Fenek war zwar schon wieder bei Bewußtsein, aber er schien mit allem noch nicht ganz klarzukommen. An den Unfall konnte er sich überhaupt nicht erinnern und an die Zeit davor auch nicht so recht. Die Ärzte sagten, er mache sich, und Nora fuhr schweren Herzens und doch eine Spur erleichtert zum Postamt. Feneks Mutter rief nicht an, offensichtlich hatte das Telegramm mit der Gesprächsbestellung sie noch nicht erreicht.

Auch Pu hatte ein bißchen was abbekommen, wie sich herausstellte. Einen riesigen Bluterguß an der Ferse, und wenn er daran dachte, mußte er erbärmlich humpeln.

»Mein Bruder tut sich auch immer was«, sagte Julie, die mit ihrer Babypuppe zu Besuch kam. »Wenn ihr wüßtet, wie oft er schon im Spital war. Aber nach ein paar Tagen kommt er wieder raus und ist genauso wild wie früher.« Laja versuchte der kleinen Katze eins von Julies Babypuppenkleidern überzuziehen, was sie zuerst duldete, dann aber gar nicht mochte, und Pu, der das sah, ging mit seiner kleinen Gartenschaufel auf Laja los und konnte sich erst im allerletzten Moment daran hindern, wirklich zuzuschlagen. Er nahm die Zizu an sich und schwor, sie Laja nie mehr zu borgen, wenn sie auf so blöde Ideen komme.

Endlich war es Nora gelungen, mit Feneks Mutter zu sprechen. Sie versuchte es ihr so vorsichtig wie möglich beizubringen, da wußte sie aber schon, daß es Fenek besser ging, obwohl seine Erinnerung noch immer gestört war. Feneks Mutter war im ersten Augenblick so erschüttert, daß sie gar nicht sprechen konnte und Nora schon glaubte, die Leitung sei unterbrochen worden. Dann sagte sie: »Ich muß zu ihm. In so einem Fall muß ich zu ihm. Ich weiß noch nicht, wie ich es schaffen werde, aber ich komme. In ein bis zwei Tagen muß ich es hinkriegen, obwohl es eine weite Reise ist.« Sie seufzte. Und Nora spürte, wie die Gedanken im Kopf von Feneks Mutter sich überschlugen.

Als sie Pu und Laja davon erzählte, wurden die ganz aufgeregt. Sie hatten eigentlich nicht wirklich an die Existenz von Feneks Mutter geglaubt, auch Pu nicht, obwohl der sie vor Jahren doch öfter gesehen hatte.

»Feneks Mutter«, sagte Laja vor sich hin, »ich hab gedacht, die ist gestorben und ihr tut nur so, als wäre sie in Australien.«

»Aber sie hat Fenek doch geschrieben, wie du weißt«, sagte Nora.

»Das hätte auch wer anderer tun können, der eine ähnliche Schrift hat.«

Und Pu fragte: »Kommt dann nicht auch unser Vater?«

Nora zuckte die Schultern. »Ich hab versucht, das Konsulat in Los Angeles verständigen zu lassen, durch Lajas Mutter, aber ich bin nicht sicher, ob er zum Konsulat geht.«

»Und wenn du ihn von der Polizei ausrufen läßt?« meinte Pu.

Nora lachte bei dem Versuch, Pus Vorstellung nachzuvollziehen. Ein Polizist mit einem großen Megaphon, der Pus und Feneks Vater über den ganzen Kontinent hinweg ausrief.

»Er muß ohnehin bald zurückkommen. Die Ferien sind fast um, und wie ich Vater eins kenne, geht ihm in Kürze das Geld aus, wenn es ihm nicht schon ausgegangen ist und er und Sylvie bereits im Flugzeug sitzen.«

Fenek war diesmal schon klar im Kopf, und als Nora ein Weilchen gesessen war, fragte er sie ganz kleinlaut: »Darf ich in den nächsten Ferien wieder zu dir kommen, oder kannst du mich jetzt nicht mehr brauchen?«

Nora streichelte Fenek und sagte: »Da mach dir bitte keine Gedanken darüber.«

»Na ja, du hast doch jetzt eine Menge Scherereien ...«

Nora war gerührt. »Du sollst gesund werden, das ist im Augenblick das einzig Wichtige.«

»Aber es könnte doch sein, daß du nächstes Jahr nicht mehr willst ...«

»Was soll ich nicht mehr wollen?«

»Daß wir alle zu dir kommen ... und Mist machen ...« Fenek lächelte schief.

Und da sagte Nora, um nur ja nicht sentimental zu werden: »Einer muß da sein. Und glaub ja nicht, daß ich eine Chance habe, euch loszuwerden, bei all der Reiselust in der Verwandtschaft. Fehlt nur noch, daß Sylvie auch ein Kind kriegt, aber über Babies bin ich eindeutig hinausgewachsen.«

Fenek lächelte nun schon ganz offen. »Und wenn sie damit kommen und es dir auf den Tisch legen, kannst du wieder nicht nein sagen.«

»Und ob ich das kann«, sagte Nora mit tiefer Stimme, »da sollst du mich kennenlernen.«

Da war natürlich noch etwas, das Fenek wissen wollte und wonach er sich nicht zu fragen getraute, aus Angst vor einer Enttäuschung. Und Nora wollte anfänglich nicht davon reden, um ihn nicht aufzuregen, aber als sie merkte, wie sehr es ihn bedrückte, nicht Bescheid zu wissen, überlegte sie es sich anders. Sie dachte noch daran, zuerst den Arzt zu fragen, aber als Fenek immer wieder nach ihrer Hand griff und sie ansah, konnte sie nicht anders, als es ihm doch sagen: »Sie wird kommen. Ich habe mit ihr telefoniert, in ein bis zwei Tagen ist sie da.«

Fenek konnte es zuerst gar nicht fassen, dann begann sein Gesicht zu strahlen, und er legte sich in die Polster zurück und sagte nichts mehr außer »danke«.

Zu Hause fand Nora eine Karte von Vater eins vor, auf der stand, daß Sỹlvie sich trotz der Schwangerschaft recht gut halte, daß es nun aber anfange, zu anstrengend für sie zu werden, und sie sich daher bereits auf dem Rückweg befänden. Sie würden vorbeischauen, sobald sie wieder daheim seien. »Nein«, rief Nora, »das darf nicht wahr sein.« Und Pu und Laja, die die Karte natürlich auch schon gelesen hatten, machten ein Gesicht, als hätten sie alles schon immer gewußt. »Nein«, rief Nora noch einmal, und dann mußten sie alle drei laut herauslachen, denn wie, bittesehr, hätten sie anders auf all die krausen Vorgänge in dieser krausen Welt reagieren sollen?

Literarische Spaziergänge
mit Büchern und Autoren

Das Kundenmagazin der Aufbau-Verlage.
Kostenlos in Ihrer Buchhandlung

Barbara Frischmuth

Fingerkraut und
Feenhandschuh

*Ein literarisches
Gartentagebuch*

*Mit Fotografien
von Herbert Pirker*

*160 Seiten, gebunden
ISBN 3–351–02 861-X*

Barbara Frischmuth, freie Schriftstellerin und Übersetzerin, mit
zahlreichen Preisen und Auszeichnungen geehrt, liefert mit diesem
Buch ein Bekennerschreiben zur Gartenlust, das zu einem Bestseller
unter Blumenfreunden wurde.

»Barbara Frischmuth erzählt Geschichten über Erlebnisse in ihrem
Garten, wobei sie literarische Eindrücke mit Informationen und Tipps
mischt. Von Glücksmomenten und Fehlschlägen ist ebenso die Rede
wie von Entdeckungen und so mancher Schrulligkeit, die sie an sich
selbst als Gärtnerin entdeckte.« *Passauer Neue Presse*

»Dieses ›literarische Gartentagebuch‹ ist sicher kein Ratgeber, doch
erfährt man manchen Profi- Trick, Wissenswertes über Pflanzen, ihre
Vorlieben und den sanften Umgang mit Schädlingen.« *Brigitte*

Aufbau-Verlag

Barbara Frischmuth

Alice im Wunderland

Mit Bildern
von Jassen Ghiuselev

24 Seiten, Halbleinen
ISBN 3–351–04003–2

Keiner spiegelt mit seinen Bildern den Irrgarten einer verdrehten, verrückten Welt so traumsicher wie Jassen Ghiuselev.

»Nun hat sich der bulgarische Künstler Jassen Ghiuselev von Alices Abenteuern zu surrealen, traumhaften Bildern inspirieren lassen, die an das viktorianische Original erinnern und das Wunderland gleichzeitig in eine Escher'sche Welt verwandeln.«

Die tageszeitung, Berlin

Aufbau-Verlag

Barbara Frischmuth

Einander Kind

Roman

232 Seiten
Band 1634
ISBN 3-7466-1634-4

Durch Herkunft, Heirat oder innere Bindung gehören sie zu
einer Familie: Regula, Vevi und Trudi. Ihre Lebenslinien kreu-
zen einander oder entfernen sich zeitweise und ergeben immer
neue Variationen eines Musters aus Liebe, Geburt, Unglücks-
fällen, Rettung und Tod.

Barbara Frischmuth erzählt, welche Kraft in Frauen ruhen
kann, so daß sie unter glücklichen wie schlimmen Umständen
fähig sind, sich um einander und andere zu kümmern, als wäre
man einander Kind.

»Beklemmend wie ein Psychothriller der Highsmith ist dieser
Roman, komisch wie eine Geschichte von Irmgard Keun und
doch durch und durch nüchtern.«

FAZ

A*t*V
Aufbau Taschenbuch Verlag

Barbara Frischmuth

Die Schrift des Freundes

Roman

352 Seiten
Band 1387
ISBN 3-7466-1387-6

Unter merkwürdigen Umständen lernt die junge Wienerin
Anna Margotti, die zwar gern Geschichten erzählt, aber sonst
als Computerspezialistin eher nüchtern ist, Hikmet kennen.
Zunächst scheint sich nur eine Liebesgeschichte zu entwickeln,
doch plötzlich verschwindet Hikmet, und niemand will ihn gekannt haben. Bald ahnt Anna, daß seine Zugehörigkeit zu den
Aleviten, einer antidogmatischen islamischen Glaubensge-
meinschaft, mit dem Verschwinden zusammenhängt und daß
sie selbst irgendwie schuldig ist.

»›Die Schrift des Freundes‹ ist gleichzeitig Multikultur-, High-
Tech-, Wien-, Liebes-, Gesellschafts- und Kriminalroman, voll
von neuer Alltagsrealität, ihrer intellektuellen Durchdringung
und traumhaften Verarbeitung.«

DIE ZEIT

A*t*V
Aufbau Taschenbuch Verlag

Barbara Frischmuth

Das Verschwinden des
Schattens in der Sonne

Roman

192 Seiten
Band 1653
ISBN 3-7466-1653-0

Eine Studentin der Orientalistik reist in die Türkei, um Material für ihre Dissertation über einen geheimnisvollen Orden zu sammeln. Doch so freundlich sie aufgenommen wird und so sehr sie versucht, Umgangsformen und Spielregeln zu beachten – sie stößt auf Schweigen. Ausgehverbote und Verhaftungen lassen sie begreifen, daß die Wirklichkeit wenig gemein hat mit ihren märchenhaften und mystischen Vorstellungen. Sie beginnt, Realitäten wahrzunehmen, und ahnt, warum manches im verborgenen geschehen muß.

AtV
Aufbau Taschenbuch Verlag

Lisa Appignanesi
Die andere Frau
Roman

*Aus dem Englischen
von Wolfgang Thon*

*444 Seiten
Band 1664
ISBN 3-7466-1664-6*

Maria d'Este ist eine klassische Femme fatale. Die Männer um-
schwärmen sie, sobald sie nur einen Raum betritt – und den anderen Frauen erscheint sie unweigerlich als Rivalin. Als Maria
aus New York nach Paris zurückkehrt, beschließt sie, daß die
Zeit ihrer Affären vorbei ist. Sie will endlich eine »gute« Frau
werden. In Paris beginnt sie für eine Kanzlei zu arbeiten und
recherchiert Mordfälle, an denen Frauen beteiligt waren. Mor-
den Frauen anders? Maria trifft auch ihre Schulfreundin Bea-
trice wieder, die Kinder hat und eine scheinbar brave Hausfrau
geworden ist. Und dann begegnet sie dem Mann, bei dem sie
all ihre guten Vorsätze vergißt. Zum ersten Mal lernt Maria die
wahren Abgründe der Liebe kennen.

   Lisa Appignanesi, die mit ihrem Roman »In der Stille des
Winters« für Aufsehen sorgte, hat ein besonderes Buch über
die Liebe und die Macht der Frauen geschrieben.

A*t*V
Aufbau Taschenbuch Verlag